TODO SANTO AJUDA

As mais belas
orações para tempos
difíceis ou não

TODO SANTO AJUDA

Seleção e apresentação
Lina Rosa

LeYa

Editora executiva: Izabel Aleixo
Gerente de produção: Maria Cristina Antonio Jeronimo
Revisão: Maria Lobo
Design de capa, miolo e ilustrações: Tita Nigrí
Diagramação: Filigrana

Dados Internacionais de Catalogação na Publicação (CIP)
Angélica Ilacqua CRB-8/7057

T572
Todo santo ajuda: as mais belas orações para tempos difíceis ou não / Seleção e apresentação de Lina Rosa. — São Paulo: LeYa, 2019.
128 p.

ISBN 978-85-7734-673-8

1. Orações 2. Santos - Orações 3. Espiritualidade I. Rosa, Lina

CDD 242
19-0746 CDU 243

Todos os direitos reservados à
Editora Leya Brasil
Rua Avanhandava, 133 | Cj 21 – Bela Vista
01306-001 – São Paulo – SP
www.leya.com.br

"A função da oração não é influenciar Deus, mas especialmente mudar a natureza daquele que reza."

Søren Kierkegaard,
filósofo dinamarquês

"O que acontece nas nossas vidas não está 100% nas nossas mãos, mas a maneira como reagimos ao que acontece é 100% nossa responsabilidade."

Sadhguru,
sábio indiano

A MAIS PRECIOSA AJUDA EM SUAS MÃOS

Às vezes, não tem jeito: dá vontade de desistir de tudo. Parece que há uma conspiração de Céus e Terra (ou ambos) contra nós, ou que Deus apontou um dedo na nossa direção e disse, nos ameaçando lá do alto: "Você vai ver só!" Nada parece acontecer da maneira que deveria, da maneira que merecíamos, da maneira que esperávamos. E temos certeza de que há algo de errado conosco. Desemprego, dívidas, fim de relacionamentos, solidão, depressão, doenças, tragédias inaceitáveis..., a lista é variada e quase todo mundo conhece alguma (ou várias) dessas dificuldades da vida.

Pois é... Parece que ter dificuldades na vida é algo bastante comum, não? Todo mundo tem, já teve ou vai ter, e isso não é uma praga. Dê uma olhadinha para os lados: as histórias mudam de endereço, de raça, de gênero, de classe social, de hemisfério, de país, mas, no fundo, no fundo, são as mesmas.

Mas, sempre que acontece conosco, parece uma tremenda injustiça, não é mesmo? "Por quêêêê? Por que comigo, meu Deus? Logo eu, que sou uma pessoa tão boa, não faço mal a ninguém, cumpro minhas obrigações, procuro tratar bem todo mundo", exclamamos. E continuamos: "Bom, talvez eu não esteja lá muito em dia com o Senhor, porque só de vez quando vou à igreja, é verdade, mas eu prometo me emendar, e se o Senhor me tirar dessa, irei todos os domingos, chova ou faça sol."

E, por toda a parte, se ouvem não os gritos e ameaças de Deus, mas as suas sonoras e amorosas gargalhadas, assistindo à sua mais inteligente criação (pode até não parecer, mas a mais inteligente criação de Deus somos nós) se debater contra o inevitável.

Os obstáculos, desafios e momentos difíceis da vida não são privilégio nem maldição de ninguém. Tem gente que acredita que eles são punições para os nossos maus atos e pensamentos, mas, convenhamos, a única coisa que punições tão frequentes e democráticas assim conseguem fazer é nos deixar com medo, e com medo, não tem jeito, vivemos muito abaixo do nosso potencial e nos tornamos avarentos das coisas boas, e toda vez que algo de bom nos acontece em vez de usufruí-lo, perdemos nosso tempo tentando fazer com que isso dure para sempre. Os obstáculos, desafios e momentos difíceis fazem parte desse caminho chamado vida e, se não podemos evitá-los completamente, há algo que certamente podemos fazer. Rezar dia e noite para que nada de mal nos aconteça? Pode até ser, mas... que tal olhar para tudo o que nos acontece com outros olhos? Que tal ver esses momentos como oportunidades de nos conhecermos melhor e de tornarmos verdadeiramente mais humanos e íntegros? Se é comum conhecermos várias e várias histórias de gente (todos nós) que passou por dificuldades da vida, também é frequente conhecermos histórias que nos mostram que o nosso humor, disposição e maneira de encarar os acontecimentos alteram, em muito, o resultado deles. Algumas pessoas vivenciam isso plenamente, e são elas que nos dão a impressão de não terem problemas, porque não perdem (talvez só durante alguns minutinhos) a serenidade, a alegria e o entusiasmo não importa o que aconteça.

Neste livro, você vai encontrar uma ajuda para esses momentos em que tudo parece estar fora do lugar. Tanto se optar por rezar noite e dia para que nenhum mal lhe aconteça, quanto se quiser tentar fazer parte do grupo dos que mantém a serenidade, a alegria e o entusiasmo em qualquer circunstância. Talvez você esteja pensando que esse grupo é o dos meio idiotas ou dos irritantemente otimistas. Mas não se trata disso. Não se trata de não ver os problemas; trata-se de não chafurdar neles e ter a clareza, o discernimento e o comportamento para fazer o que for preciso para viver esses momentos da melhor maneira possível.

E a ajuda vem por intermédio deles, de ninguém mais, ninguém menos do que São Jorge, Santo Antônio, Santa Teresinha do Menino Jesus, Santa Clara e São Francisco, São Benedito e Santa Luzia, São João e São Pedro, Santo Inácio e Santo Agostinho, e vários outros santos e santas aqui reunidos. Com suas biografias e orações, eles e elas representam características da personalidade humana, falam de momentos de dificuldade e nos oferecem instantes para refletirmos sobre como passar por isso (o porquê, que é o que geralmente queremos saber a todo custo, raramente importa).

Todos os santos e santas são pessoas como nós: uns mais calados e introspectivos, outros mais faladores e animados; uns, filhos rebeldes, outros, maridos ou esposas que largaram tudo para trás; uns mundanos, que se deixaram seduzir pela vaidade e pelos prazeres materiais, outros que, desde criança, gostavam mais de rezar do que de brincar; uns, pobres, outros, ricos; uns que morreram jovens, outros, bem velhinhos. Cada um à sua maneira compreendeu que a vida tem seus altos e baixos e que, só no meio desses altos e baixos, é que vivemos de verdade e que descobrimos quem somos e o valor de estar vivo aqui e agora. E quando isso acontece irradiamos serenidade, alegria e entusiasmo.

Todo santo ajuda sempre, porque quando recorremos a eles, também recorremos a nós: paramos um pouquinho, deixamos baixar poeira, diminuimos o volume dos nossos pensamentos catastróficos, recuperamos a energia, compreendemos o que devemos fazer, mesmo que, naquele momento específico, seja não fazer nada. Às vezes, a solução para um determinado problema é se entregar a ele, é entrar na correnteza sem se segurar e ir, em meio às ondas, colocando um pezinho no chão, ora aqui, ora ali. Nós nos acostumamos a falar de luta toda vez que temos que "enfrentar" um problema, seja ele qual for, mas, pense bem, não foi com luta que se construíram as coisas mais belas que existem, foi? Um jardineiro ou agricultor não luta com a terra para que as flores e os frutos nasçam; ele mistura a terra com esterco (sim, esterco... e não perfume ou sabor), rega a planta e aguarda, deixando a vida seguir seu curso.

A partir do momento que "entramos no jogo", o tempo está correndo, e estamos submetidos ao fluir das possibilidades, e não há nada nem ninguém que possa nos garantir, com cem por cento de certeza, o que vai acontecer no próximo minuto. Que este livro consiga a sua maior intenção: mudar a sua natureza e a maneira como você reage ao que acontece na sua vida.

Amém!

Modo de usar este livro

• 1 •

Reserve alguns minutos do seu dia para dizer a oração que você escolher. O tempo reservado deve caber na sua rotina: se tiver só 5 minutos, serão apenas 5 minutos, mas faça desses 5 minutos um tempo de contato consigo mesmo. Quando a sua prática se tornar frequente, tente aumentar um pouco mais esse tempo. E depois disso, tente repetir esse ritual duas vezes por dia, de manhã e à noite. Não encare esse compromisso como uma obrigação, mas como uma prática de bem-estar, um presente diário que você dá a si mesmo.

• 2 •

Encontre um lugar na sua casa que seja tranquilo e aconchegante para ser o seu espaço de oração e diga a sua oração, se possível, sempre no mesmo lugar. Consagre esse lugar. Como? Coloque nele objetos queridos, fotos de quem você ama, recordações de viagem, oratórios, velas, incensos etc. Mas também não é preciso fazer disso uma obrigação: dizer a oração que você escolheu é a melhor maneira de consagrar qualquer espaço.

• 3 •

Desligue o celular ou coloque-o em modo avião, tire o som do computador, desligue a tevê. Tente silenciar qualquer outra possível distração nesse momento. Serve dizer aos familiares que não quer ser incomodado por 5 minutos e até colocar um bilhete na porta, pedindo para que só toquem a campainha daqui a 5 minutinhos. Todo mundo vai entender. E se não entenderem, paciência!

• 4 •

Sente-se numa cadeira com os pés bem apoiados no chão e com a coluna ereta. Para os povos do Oriente, a coluna é o "canal da iluminação". É por ela que flui a energia vital do ser humano e que ascende a sabedoria necessária para encontrarmos a alegria e a bem-aventurança.

• 5 •

Feche os olhos e concentre-se na sua respiração, no entrar e sair do ar nos seus pulmões, e mesmo que as coisas estejam pra lá de complicadas, perceba que respirar já é um milagre por si só. Quantas vezes nós paramos para prestar atenção nisso?

• 6 •

Não tente não pensar, isso é impossível! Tente apenas deixar os pensamentos passarem pela sua cabeça e não se prenda a nenhum deles. Não dê corda a nenhum deles.

• 7 •

Comece pronunciando as palavras da oração com uma voz baixa e suave, como se estivesse querendo fazer uma criança dormir. Depois de um tempo, tente repetir as palavras apenas mentalmente.

• 8 •

Quando terminar, ainda de olhos fechados, sorria. Para quem? Não importa. Para ninguém ou para você mesmo.

• 9 •

Abra os olhos devagar e repare com muita atenção em tudo o que vê nesse momento. Muitas vezes o que procuramos está bem à nossa frente.

• 10 •

Depois comece a se movimentar suave e delicadamente. Preserve, pelo máximo de tempo que conseguir, a atmosfera de paz e alegria que você criou.

• 11 •

Com o passar dos dias, escolha o santo ou santa com o qual você tem mais afinidade e crie uma oração a ele ou ela só sua.

São Jorge

Jorge nasceu na Capadócia, atual Turquia e, após a morte do pai, foi viver com a mãe, uma mulher cristã, na Terra Santa, na Palestina. Recebeu educação esmerada e se tornou soldado do Império Romano. Era também corajoso e destemido e logo alcançou as mais altas patentes do exército. Um dia, ao ver a maneira como os cristãos eram perseguidos e se lembrando de tudo o que sua mãe lhe contava sobre sua fé, distribuiu todos os seus bens aos pobres e disse estar em busca da verdadeira salvação. O imperador Diocleciano quis que Jorge renegasse sua fé e sentenciou-o a torturas violentas, mas ele se manteve firme até ser decapitado. São Jorge ajuda aqueles que estão precisando de força e proteção para atravessar momentos difíceis. 23 de abril é o dia de São Jorge.

Eu andarei vestido com as armas de São Jorge, para que meus inimigos tendo pés não me alcancem, tendo mãos não me peguem, tendo olhos não me enxerguem e nem pensamentos eles possam ter para me fazerem mal.
Armas de fogo o meu corpo não o alcançarão, facas e lanças se quebrem sem o meu corpo tocar, cordas e correntes arrebentem sem o meu corpo amarrar.
Jesus Cristo, me protegei e me defendei com o poder de vossa santa e divina graça. Virgem Maria de Nazaré, me cubrai com o vosso sagrado e divino manto, me protegendo em todas minhas dores e aflições. E Deus, com a Vossa divina misericórdia e grande poder, sejai meu defensor contra as maldades de perseguições dos meus inimigos.
Glorioso São Jorge, em nome de Deus, me estende o teu escudo e as tuas poderosas armas, defendendo-me com a tua força e com a tua grandeza, do poder dos meus inimigos carnais e espirituais e de todas as suas más influências, e que debaixo das patas de teu fiel ginete, meus inimigos fiquem humildes e submissos a ti, sem se atreverem a ter um olhar sequer que possa me prejudicar.

Assim seja, com o poder de Deus e de Jesus e da falange do Divino Espírito Santo.

São Jorge, roga por nós!

Amém.

São Francisco de Assis

Nascido em Assis, na Península Itálica, Francisco era filho de um rico comerciante e viveu uma juventude despreocupada, esbanjando dinheiro em festas e voltado apenas aos prazeres da vida. Nem os negócios do pai nem os estudos lhe interessavam. Ainda jovem caiu doente e escutou a voz de Deus, pedindo que ele servisse ao amor e passou então a se dedicar aos doentes e aos pobres. Um dia, enquanto rezava numa igreja em ruínas, escutou um chamado, vendeu tudo o que tinha e levou o dinheiro ao padre, pedindo permissão para viver ali. Seu pai ameaçou deserdá-lo se não voltasse para casa, mas Francisco não se intimidou e tirou até a roupa do corpo, indo embora. Fez voto de pobreza e saiu pelo mundo pregando sua doutrina. São Francisco é o santo do amor incondicional, protetor dos animais, da natureza e das pessoas carentes e enfermas. 4 de outubro é o dia de São Francisco de Assis.

Senhor, fazei de mim um instrumento da Vossa paz.
Onde houver ódio, que eu leve o amor.
Onde houver ofensa, que eu leve o perdão.
Onde houver discórdia, que eu leve a união.
Onde houver dúvidas, que eu leve a fé.
Onde houver erro, que eu leve a verdade.
Onde houver desespero, que eu leve a esperança.
Onde houver tristeza, que eu leve a alegria.
Onde houver trevas, que eu leve a luz.
Ó Mestre, fazei que eu procure mais: consolar, que ser consolado; compreender, que ser compreendido; amar, que ser amado.
Pois é dando que se recebe.
É perdoando que se é perdoado.
E é morrendo que se vive para a vida eterna.

Amém.

Santa Teresinha do Menino Jesus

Teresinha era filha de um relojeiro e de uma bordadeira. Sua mãe faleceu quando ela era criança, e a menina se apegou à irmã mais velha, Paulina. Quando Paulina entrou para o Mosteiro das Carmelitas, Teresa ficou muito doente, mas, olhando para a imagem da Imaculada Conceição, se curou. Com a autorização do papa, também entrou para o Carmelo com apenas 15 anos, se dedicando a uma vida de simplicidade e reflexão sobre a comunhão com Deus, apesar da pouca idade e do pouco estudo. Revelou ao mundo que a santidade e a perfeição estão nos pequenos gestos e obrigações cotidianas feitos com amor. Para Teresa, só o amor conta, amar é contemplar Jesus nas pessoas, e ser missionário é uma questão de amor. Jogava pétalas de rosas ao ver passar o ostensório e flores no grande crucifixo na entrada do mosteiro. Morreu aos 24 anos, de tuberculose. É padroeira dos missionários, mesmo sem nunca ter saído do Carmelo, e também dos pecadores. 1º de outubro é o dia de Santa Teresinha do Menino Jesus.

Santa das Rosas, trilhaste a pequena via da humildade e da submissão à vontade de Deus.
Ensina-nos, ó santa mestra, doutora da Igreja, o caminho da santidade que nasce da escuta da Palavra de Deus, da realização de coisas simples e sem importância aos olhos do mundo.
Nós te pedimos que continues a cumprir tua promessa de fazer chover rosas de graças e bênçãos sobre o mundo. Ansiamos por rosas, muitas rosas do teu jardim.
Reparte conosco as graças que recebes de Deus Pai. Intercede por nós junto a Ele.
Por tuas preces, venha o Senhor em socorro de nossas necessidades.

(Nesse momento, peça a graça desejada.)

Vela, ó Flor do Carmelo, por nossas famílias: que em nossos lares haja paz, compreensão e diálogo.
Vela por nossa pátria, para que tenhamos governantes íntegros, afinados com os anseios do povo sofrido.
Vela por nós, para que o espírito missionário impregne todas as nossas ações.

Santa Teresinha, roga por nós.

Amém.

Santa Clara

Clara nasceu em Assis, numa família rica e nobre. Desde menina, tinha fama de muito religiosa e, aos dezoito anos, fugiu para encontrar Francisco, que havia fundado a ordem dos franciscanos. O próprio Francisco cortou os cabelos de Clara para que ela pudesse entrar no mosteiro das beneditinas. A jovem fez voto de pobreza, doando todos os seus bens aos pobres, o que deixou sua família muito contrariada. Francisco e Clara foram viver no Santuário de São Damião: ela fundou o convento das clarissas e ele, o mosteiro da ordem dos franciscanos. Quando os muçulmanos tomaram Assis e ameaçaram entrar no convento, Clara levantou o ostensório, dizendo que Cristo é mais forte que todos, e os invasores fugiram amedrontados. No fim da vida, doente e acamada, não pôde ir à missa na Igreja de São Francisco, seu fiel amigo já falecido. Mas, rezando com fevor, assistiu à celebração na parede do seu humilde quarto no convento. Por isso é a padroeira da televisão. 11 de agosto é o dia de Santa Clara.

Santa Clara, que seguiste de perto São Francisco, na vida de pobreza e no amor ao próximo e a Deus, olha carinhosa para o mundo de hoje, tão necessitado da tua proteção.
Ouve o meu pedido e concede-me a graça que te peço, com fé e confiança.
Como verdadeiro necessitado, rogo-te que me alcances de Cristo a saúde espiritual e corporal, para mim e meus familiares.
Sobretudo, peço a tua ajuda para o problema que me aflige.

(Nesse momento, peça a graça desejada.)

Atende-me, Santa Clara, pela força que tens junto a Deus e pela fé que me faz buscar a tua proteção.

Amém.

Santo Antônio de Pádua

Antônio nasceu em Lisboa e era filho único de um oficial do exército. Desde menino gostava de estudar e de rezar. Aos 19 anos, entrou para um mosteiro contra a vontade do pai, começando a sua formação religiosa. Aos 25, foi ordenado sacerdote. Tinha o dom da pregação. Logo depois conheceu alguns franciscanos e ingressou nessa ordem, recebendo o nome de Frei Antônio. Quando ia para o Marrocos pregar, ficou doente durante a viagem e teve de voltar a Portugal. O barco em que vinha parou na Itália e lá ele conheceu pessoalmente Francisco de Assis. Encorajado pelo amigo, se dedicou ao estudo da teologia. Suas pregações reuniam mais de trinta mil pessoas e nelas vários milagres aconteciam. Certa vez hospedou-se na casa de um conde que, durante a noite, viu a Virgem Maria colocando o Menino Jesus nos braços do frei. Antônio morreu em Pádua na Itália. É o protetor das coisas perdidas, dos casamentos e dos pobres, e padroeiro de Portugal.

13 de junho é o dia de Santo Antônio de Pádua.

Meu querido Santo Antônio dos mais carinhosos, o teu ardente amor a Deus, as tuas sublimes virtudes e grande caridade para com o próximo, a ti mereceram, durante a vida, o poder de fazeres milagres espantosos. Nada era impossível para ti, senão deixares de sentir compaixão pelos que necessitavam da tua eficaz intercessão.
A ti recorremos e a ti imploramos que nos obtenhas a graça especial que nesse momento pedimos.

(Nesse momento, peça a graça desejada.)

Ó bondoso e santo taumaturgo, cujo coração estava sempre cheio de simpatia pelos homens, segreda as nossas preces ao Menino Jesus, que tanto gostava de repousar nos teus braços. Uma palavra tua nos obterá as mercês que pedimos.

Amém.

São José

José era descendente da casa real de Davi e estava noivo de Maria quando soube que ela estava grávida. Um anjo lhe apareceu em sonho para tranquilizá-lo: Maria engravidara do Espírito Santo e esperava o Filho de Deus. José então a aceitou como esposa. Perto do nascimento do bebê, José e Maria foram a Belém e, durante a viagem, Jesus nasceu. Novamente um anjo apareceu a José em sonho, ordenando que ele levasse mãe e filho para o Egito porque Herodes queria matar o menino. Quatro anos depois, outra vez o anjo voltou aos sonhos de José e lhe disse que levasse a família de volta a Nazaré. José devotou sua vida a cuidar de Jesus e Maria, vivendo de seu trabalho como carpinteiro. Era um homem religioso e deu a Jesus o exemplo de homem que segue o caminho da justiça, da verdade e do amor. É padroeiro dos carpinteiros e dos trabalhadores em geral. 19 de março é o dia de São José.

Ó glorioso São José, a quem foi dado o poder de tornar possível as coisas humanamente impossíveis, vem em nosso auxílio nas dificuldades em que nos achamos.
Toma sob tua proteção a causa importante que confiamos a ti, para que tenha uma solução favorável.

(Nesse momento, peça a graça desejada.)

Ó pai muito amado, em ti depositamos toda a nossa confiança. Que ninguém possa jamais dizer que te invocamos em vão. E já que tudo podes junto a Jesus e Maria, mostra-nos que tua bondade é igual ao teu poder.
São José, a quem Deus confiou o cuidado da mais sagrada família, sê, nós te pedimos, o pai e protetor da nossa família, e suplica-nos a graça de vivermos e morrermos no amor de Jesus e Maria.

São José, roga por nós que recorremos a ti.

Amém.

Santa Rita de Cássia

Filha única de pais muito devotos, que lhe contavam histórias de santos e santas, desde menina, Rita queria ser religiosa, mas teve que se casar. Durante dezoito anos, viveu, com paciência e resignação, ao lado de um marido infiel, violento e alcoólatra. O casal teve dois filhos. As preces de Rita, seu amor e mansidão acabaram transformando seu esposo, que se tornou um homem exemplar. Mas o rastro de ódio que ele tinha deixado para trás fez com que fosse assassinado pouco depois. Os filhos do casal juraram vingança, mas contraíram a peste e acabaram morrendo. Rita decidiu então entrar para o convento, mas as freiras duvidaram da sua vocação e não a aceitaram. Numa noite escutou uma voz chamando seu nome. Abriu a porta de casa e lá estavam São Francisco, São Nicolau e São João Batista que a conduziram até o convento e nele a fizeram entrar mesmo com as portas trancadas. É invocada para todas as causas consideradas impossíveis. 22 de maio é o dia de Santa Rita de Cássia.

Ó poderosa e gloriosa Santa Rita, eis a teus pés uma alma desamparada que necessitando de auxílio, a ti recorre com a doce esperança de ser atendida por ti, que tens o título de Santa das Causas Impossíveis e Desesperadas.
Ó cara santa, interessa-te pela minha causa e intercede junto a Deus para que me conceda a graça de que tanto necessito.

(Nesse momento, peça a graça desejada.)

Não permitas que tenha de me afastar de teus pés sem ser atendido.
Se houver em mim algum obstáculo que me impeça de alcançar a graça que imploro, auxilia-me para que o afaste.
Envolve o meu pedido em teus preciosos méritos e apresenta-o a teu celeste esposo, Jesus, em união com a tua prece.
Ó Santa Rita, eu ponho em ti toda a minha confiança. Por teu intermédio, espero tranquilamente a graça que te peço.

Santa Rita, advogada dos desesperados, roga por nós.

Amém.

Santa Bárbara

Bárbara nasceu na cidade de Nicomédia, no mar de Mármara, filha única de um rico comerciante que a manteve presa numa torre para afastá-la dos perigos do mundo. Sozinha, ela contemplava a natureza, o sol e a chuva. Quando chegou à idade de se casar, seu pai permitiu que pretendentes a visitassem. Mas ela não aceitava nenhum. O pai atribuiu as recusas à solidão em que ela tinha vivido e deixou-a ir conhecer a cidade. Foi então que Bárbara conheceu os cristãos, que pregavam a existência de um único Deus, e se lembrou do mundo grande e belo que contemplava de sua torre e compreendeu que tudo era obra dele. Decidiu então se converter ao cristianismo. Seu pai ficou furioso e a denunciou às autoridades. Ela foi torturada para renegar sua fé, mas se manteve firme. Acabou sendo degolada pelo próprio pai. Quando sua cabeça rolou pelo chão, escutou-se o estrondo de um trovão. É a protetora contra raios, trovões e tempestades, e padroeira de todos os que trabalham com fogo. 4 de dezembro é o dia de Santa Bárbara.

Ó Santa Bárbara, que és mais forte que as torres das fortalezas e a violência dos furacões, faze com que os raios não me atinjam, os trovões não me assustem e o troar dos canhões não me abalem a coragem e a bravura.

Fica sempre a meu lado para que eu possa enfrentar, de fronte erguida e rosto sereno, todas as tempestades e batalhas de minha vida.

(Nesse momento, peça a graça desejada.)

Fica sempre a meu lado para que, vencedor de todas as lutas, com a consciência do dever cumprido, possa agradecer a ti, minha protetora e render graças a Deus, criador do céu, da Terra, da natureza, a este Deus que tem poder de dominar o furor das tempestades e abrandar a crueldade das guerras.

Fica sempre comigo para me dar forças. Conserva meu coração em paz. Que em todas as lutas da vida, eu saiba vencer, sem humilhar ninguém.

Santa Bárbara, roga por nós!

Amém.

São João Batista

Filho de Zacarias, sacerdote do tempo de Jerusalém, e de Isabel, João Batista nasceu quando sua mãe já não acreditava mais poder engravidar. Um dia, o anjo Gabriel apareceu a Zacarias e lhe disse que sua mulher teria um filho e que ele deveria se chamar João. E assim aconteceu. Quando Isabel estava grávida, recebeu a visita de Maria e, ao vê-la chegar, sentiu João se mexer em seu ventre de alegria. João Batista cresceu e começou anunciar a vinda de Jesus e a salvação que o Messias traria para todos nós. Morava no deserto, rezava, fazia sacrifícios e pregava, pedindo às pessoas que se arrependessem de seus pecados. Nessas pregações, não poupava Herodes, rei da Galileia, que levava uma vida desregrada e governava sem sabedoria. Um dia, Herodes vê Salomé, sua enteada, dançando, e fica deslumbrado, e promete dar a ela tudo o que quisesse. Salomé, em concluio com a mãe, pede a cabeça do profeta numa bandeja. São João Batista foi o primeiro mártir da Igreja. É o padroeiro de todos que dizem a verdade custe o que custar. 24 de junho é o dia de São João Batista.

Ó glorioso São João Batista, príncipe dos profetas, precursor do Divino Redentor, primogênito da graça de Jesus e da intercessão de sua Santíssima Mãe, que foste grande diante do Senhor pelos dons da graça que recebeste desde o ventre materno e por tuas admiráveis virtudes, alcança-me de Jesus a graça de que necessito e que, com fé ardente, suplico a ti.

(Nesse momento, peça a graça desejada.)

Alcança-me também, meu excelso protetor, singular proteção da Virgem Maria Santíssima, que por amor de ti foi com pressa à casa de tua mãe Isabel, para que te tornaste livre do pecado original e cheio dos dons do Espírito Santo.

Vale-me, meu santo protetor.

São João Batista, roga por nós.

Amém.

Santo Expedito

Expedito era militar e comandante de uma legião do exército que defendeu as fronteiras orientais do Império Romano contra a invasão dos bárbaros. Levava uma vida de luxo, prazeres e fama. Conheceu o cristianismo em suas campanhas pelo mundo e pelo testemunho de alguns integrantes do exército que já haviam se convertido. Sentia-se atraído pelas palavras de Jesus, mas não se decidia a seguir seus ensinamentos. Uma dia foi tocado pela graça de Deus: sonhou que um espírito maligno em forma de corvo surgia à sua frente e grasnava "Amanhã, amanhã, amanhã", incitando o soldado a deixar a sua conversão para depois. Mas Expedito pisoteou o corvo e gritou: "Hoje!" Para ele nada mais deveria ser protelado. Por isso é o santo das causas justas e urgentes.
19 de abril é o dia de Santo Expedito.

Meu Santo Expedito das causas justas e urgentes, socorrei-me nesta hora de aflição e desespero.

Interceda por mim junto a Nosso Senhor Jesus Cristo. Tu que és um santo guerreiro. Tu que és o santo dos aflitos. Tu que és o santo dos desesperados. Tu que és o santo das causas urgentes. Protege-me, ajuda-me, dá-me força, coragem e serenidade. Atende o meu pedido.

(Nesse momento, peça a graça desejada.)

Ajuda-me a superar estas horas difíceis, protege-me de todos que possam me prejudicar. Protege minha família, atende o meu pedido com urgência. Devolve-me a paz e a tranquilidade. Serei grato pelo resto de minha vida e levarei teu nome a todos que têm fé.

Santo Expedito, roga por nós.

Amém.

Santa Maria Madalena

Foi vista durante séculos como uma prostituta da época de Jesus, mas talvez ela tenha sido apenas uma mulher à frente do seu tempo, que questionava a tradição e enfrentava os poderosos. Era uma mulher de posses e foi condenada à morte por apredejamento, mas Jesus a salvou, dizendo a todos: "Quem não tiver pecado que atire a primeira pedra." Depois disso, Maria Madalena o seguiu por toda a vida, colocou seus bens a serviço de Deus e se dedicou exclusivamente a essa missão com amor e fidelidade. Esteve ao lado de Maria, aos pés da cruz e foi a primeira pessoa para quem Jesus apareceu depois da Ressurreição e a primeira a anunciar a todos essa boa-nova. Santa Maria Madalena é a protetora dos arrependidos, dos pecadores, das mulheres e das pessoas ridicularizadas, e um exemplo de que não devemos julgar a vida de ninguém. 22 de julho é o dia de Santa Maria Madalena.

Santa Maria Madalena, tu que ouviste da boca de Jesus as palavras "Os teus pecados estão perdoados, vai em paz, a tua fé te salvou", alcança-me de Deus o perdão dos meus erros e pecados, deixa-me participar do ardente amor que inflamou o teu coração, para que eu seja capaz de seguir Cristo até o Calvário, se for preciso, e assim, mais cedo ou mais tarde, tenha a felicidade de abraçar e beijar os pés do Divino Mestre.

Como Jesus ressuscitado te chamou pelo nome "Maria!", que ele me chame também pelo meu nome e eu nunca mais me desvie do seu amor, com recaídas nos erros do passado.

Santa Maria Madalena, eu te peço esta graça por Cristo, Nosso Senhor.

(Nesse momento, peça a graça desejada.)

Santa Maria Madalena, roga por nós!

Amém!

Santa Teresa de Ávila

Nasceu no ano de 1515 na província de Ávila, no Reino de Castela, atual Espanha. Teve uma educação esmerada e gostava de ler histórias de santos. Chegou a fugir de casa ainda criança, com o irmão, para demonstrar sua fé e ser martirizada pelos mouros, mas um tio resgatou os dois. Sua mãe morreu quando ela tinha 14 anos e o pai a colocou num convento para estudar. Aos 20, fugiu para o Convento das Carmelitas, para seguir a vida religiosa contra a vontade do pai. Nessa época, Teresa ficou muito doente e, para suportar o sofrimento, começou a ler obras de místicos medievais e a praticar o exame de consciência, a concentração espiritual e a contemplação interior. Ficou curada e voltou ao convento. Pregava uma vida de recolhimento, oração e silêncio. Escreveu vários livros onde conta as visões e as experiências de êxtase místico que teve ao longo da vida. Por sua sabedoria, Santa Teresa de Ávila é a padroeira dos professores e muito invocada quando se tem medo e ansiedade. 15 de outubro é o dia de Santa Teresa de Ávila.

Nada te perturbe,
nada te amedronte.
Tudo passa,
a paciência tudo alcança.
A quem tem Deus nada falta.
Só Deus basta.

Ó Santa Teresa de Jesus, és a mestra da genuína oração e nos ensinas a rezar conversando com Deus Pai, Filho e Espírito Santo.
Ó Santa Teresa, ajuda-nos a rezar com fé e confiança, sem nunca duvidar da bondade divina.
Ajuda-nos a rezar com inteira conformidade de nossa vontade com a vontade de Deus, com insistente perseverança até alcançarmos aquilo de que necessitamos.
Ó Santa Teresa, faze-nos fiéis à nossa oração da manhã e da noite, e a transformar em oração o cumprimento de nossas tarefas de cada dia.
Que a oração seja para nós a porta de nossa conversão e santificação, a chave de ouro que nos abrirá as portas do Céu.

Santa Teresa de Jesus, roga por nós.

Amém.

São Sebastião

Nascido na França, ainda pequeno, Sebastião se mudou para a Península Itálica com a família, onde cresceu, estudou e seguiu a carreira militar do pai. Foi capitão da guarda pretoriana do exército, cargo só ocupado por pessoas ilustres e dignas. Mantinha o fato de ser cristão em segredo para ajudar os que tinham sido presos com alimentos e remédios. Foi denunciado, mas confirmou sua fé diante do imperador que, sentindo-se traído, mandou darem a ele uma morte cruel. Os arqueiros amarraram o ex-capitão num tronco e o flecharam repetidas vezes, abandonando-o para que sangrasse até morrer. Mas Sebastião foi resgatado por um grupo de amigos, se recuperou e começou a pregar. E teve coragem de pedir ao imperador que parasse de perseguir os cristãos. Por isso foi açoitado até a morte e enterrado nas catacumbas dos apóstolos. É o protetor das doenças infecciosas e contagiosas e, como não teve medo de revelar sua condição, é também o padroeiro do grupo LGBTQI+. 20 de janeiro é o dia de São Sebastião.

Glorioso mártir São Sebastião, soldado de Cristo e exemplo de cristão, hoje vimos pedir a tua intercessão junto ao trono do Senhor Jesus, nosso Salvador, por quem deste a vida.
Tu que viveste a fé e perseveraste até o fim, pede a Jesus por nós para que sejamos testemunhas do amor de Deus.
Tu que esperaste com firmeza nas palavras de Jesus, pede-lhe por nós, para que aumente a nossa esperança na ressurreição.
Tu que viveste a caridade para com os irmãos, pede a Jesus para que aumente o nosso amor para com todos.
Enfim, glorioso mártir São Sebastião, protege-nos contra a peste, a fome e a guerra; defende as nossas plantações e os nossos rebanhos, que são dons de Deus para o nosso bem e para o bem de todos.
E defende-nos do pecado, que é o maior de todos os males.

Assim seja.

Amém.

São Cristóvão

Cristóvão era filho de um rei em Canaã e se chamava, na verdade, Reprobus. Era muito alto e forte e só queria trabalhar para quem fosse mais forte que ele e nada temesse. Primeiro serviu a um rei poderoso, mas descobriu que ele tinha medo do diabo. Depois foi servir ao próprio diabo, mas descobriu que ele tinha medo de Jesus Cristo. Então Reprobus decidiu servir a Jesus. Foi morar às margens de um rio com uma intensa correnteza e transportava as pessoas em seus ombros. Um dia apareceu um menino e pediu que Reprobus o levasse até a outra margem. Reprobus prontamente começou a transportá-lo, mas o menino ficava cada vez mais pesado, como se nele houvesse todo o peso do mundo. Chegando à outra margem, o menino se revelou: era o próprio Jesus. A partir de então, Reprobus passa se chamar Cristóvão, que significa "aquele que carrega o Cristo". É exemplo de humildade e protetor dos motoristas e dos viajantes. 25 de julho é o dia de São Cristóvão.

Ó São Cristóvão, que atravessaste a correnteza furiosa de um rio com toda a firmeza e segurança, porque carregavas nos ombros o Menino Jesus, faze com que Deus se sinta sempre bem em meu coração, porque então eu terei sempre firmeza e segurança no volante do meu carro e enfrentarei corajosamente todas as correntezas que eu encontrar, venham elas dos homens ou dos espíritos do mal.

São Cristóvão, roga por nós.

Amém.

Santa Brígida

Brígida era filha do rei da Suécia e sua família, muito cristã e devota, construía igrejas, mosteiros e hospitais pelo reino. Desde a infância, a menina ajudava nas obras de caridade e tinha revelações, escrevendo textos e orações, que lhe foram ditadas pelo próprio Cristo. Na juventude foi dama de companhia na corte e viveu em meio ao luxo e à vaidade, mas nunca se deixou fascinar por esse mundo. Casou-se aos 18 anos com um homem nobre e cristão. Tiveram oito filhos e cuidaram da formação religiosa das crianças com dedicação. Um deles, no entanto, morreu ainda criança, e o casal, entristecido, peregrinou até Santiago de Compostela. Na volta, o marido de Brígida ficou muito doente, mas ela teve uma revelação de que o marido não morreria daquela enfermidade, e assim aconteceu. Anos mais tarde, Brígida entrou para um mosteiro e dedicou sua vida a fundar a Ordem do Santo Salvador. É padroeira da Europa e protetora dos bebês. 23 de julho é o dia de Santa Brígida.

Ó doce Jesus, vulnerai o meu coração, afim de que lágrimas de arrependimento e de amor, noite e dia, me sirvam de alimento. Convertei-me inteiramente a Vós. Que o meu coração Vos sirva de perpétua habitação; que a minha conduta vos seja agradável e que o fim da minha vida seja de tal modo edificante que eu possa ser admitido no Vosso Paraíso, onde, com os Vossos santos, hei de Vos louvar para sempre.

Assim seja.

Amém.

Santa Maria Goretti

Maria Goretti nasceu na Itália numa família pobre, que teve que vender a pequena fazenda onde moravam. Passaram então a dividir uma casa com outra família. Um dia a menina, então com onze anos, estava em casa costurando e tomando conta de sua irmã quando Alessandro, de 20, que morava na mesma casa, entrou e quis estuprá-la. Maria Goretti começou a rezar com tanta devoção que Alessandro não conseguiu dominá-la. Com raiva da menina e de sua fé, o rapaz lhe deu onze facadas. Gravemente ferida, Maria Goretti foi levada para o hospital, mas não resistiu. Antes de morrer, no entanto, disse que perdoava seu agressor, que foi condenado a 30 anos de prisão. Depois de cumprir a pena, ele foi visitar a mãe da menina para pedir perdão e entrou para o mosteiro dos franciscanos capuchinhos para trabalhar como porteiro e jardineiro. Santa Maria Goretti é protetora da pureza e da juventude, padroeira das vítimas de violência sexual. 6 de julho é o dia de Santa Maria Goretti.

Ó Santa Maria Goretti, que, reforçada pela graça de Deus, não hesitou, mesmo com apenas onze anos, em derramar teu sangue em sacrifício da própria vida para te defenderes, olha graciosamente para a infeliz raça humana, que se desvia muito longe do caminho da eterna salvação.
Ensina-nos a todos, e especialmente à juventude, com coragem e presteza, que devemos fugir, por amor a Jesus, de tudo o que possa ofender ou manchar as nossas almas com o pecado.
Obtém para nós, a partir de Nosso Senhor, vitória na tentação, conforto nas tristezas da vida e a graça que agora fervorosamente imploro-te.

(Nesse momento, peça a graça desejada.)

Santa Maria Goretti, que possamos desfrutar um dia da imperecível glória do Céu.

Amém.

Santo Inácio de Loyola

Nasceu em Loyola na Península Ibérica, numa família numerosa: era o mais novo de doze irmãos. Estava destinado à vida religiosa, mas preferiu a carreira militar, que lhe seduziu com uma vida de aventuras e de prazeres sexuais. Durante a defesa do castelo de Pamplona, Inácio quebrou uma perna e teve que ficar imobilizado durante muitos meses. Deitado numa cama, sem ter o que fazer, começou a ler os livros que chegaram às suas mãos: a vida de Jesus e a de alguns santos. Depois disso, decidiu que faria exatamente o que os santos fizeram. Depôs suas armas aos pés da imagem de Nossa Senhora de Montserrat e se tornou eremita, praticando os exercícios espirituais que criou. Anos mais tarde foi estudar filosofia e teologia e lançou as bases para a fundação da ordem dos jesuítas. Santo Inácio de Loyola é padroeiro do discernimento, dos retiros espirituais e dos soldados. 31 de julho é o dia de Santo Inácio de Loyola.

Alma de Cristo, santificai-me.
Corpo de Cristo, salvai-me.
Sangue de Cristo, inebriai-me.
Água do lado de Cristo, lavai-me.
Paixão de Cristo, confortai-me.
Ó bom Jesus, ouvi-me.
Dentro das vossas chagas, escondei-me.
Não permitais que de vós me separe.
Do espírito maligno, defendei-me.
Na hora da minha morte, chamai-me.
E mandai-me ir para vós, para que vos louve com os vossos santos, por todos os séculos.

Amém.

Santo Agostinho

Nascido no norte da África, era filho primogênito de um pequeno proprietário de terras e de Mônica, uma cristã fervorosa que se tornou santa. O menino, no entanto, seguia o exemplo do pai, que só ligava para os assuntos materiais. Na juventude, Agostinho estudou literatura latina e retórica, começou a seguir o maniqueísmo, doutrina que divide o mundo em bem e mal, e tornou-se hedonista, acreditando que o fim último da vida é o prazer. Vivia com uma mulher de Cartago e com ela teve um filho. Foi para Roma, passou a seguir o ceticismo e tornou-se professor de retórica em Milão. Nesse momento, aproximou-se do bispo Ambrósio e abraçou a filosofia de Cristo. Após a morte de sua mãe e de seu próprio filho, voltou a sua cidade natal e levou uma vida de recolhimento, estudo e oração, escrevendo os preceitos da ordem agostiniana. Depois foi aclamado bispo de Hipona, onde faleceu. Seu livro *Confissões*, um hino de louvor a Deus, tornou-se best-seller ao longo dos séculos. Santo Agostinho é o padroeiro dos que buscam a verdade. 28 de agosto é o dia de Santo Agostinho.

Ó excelso doutor da graça, Santo Agostinho.
Tu que relataste as maravilhas do amor misericordioso operado em tua alma, ajuda-nos a confiar sempre e unicamente na ajuda divina.
Ajuda-nos, ó grande Santo Agostinho, a encontrar a Deus eterna verdade, verdadeira caridade, desejada eternidade.
Ensina-nos a crer e viver na graça, superando nossos erros e angústias.
Acompanha-nos à vida eterna, para amar e louvar incessantemente ao Senhor.

Amém.

Santa Marta

Era irmã de Lázaro, amigo de Jesus, e de Maria, e os três moravam em Betânia, nos arredores de Jerusalém. Quando Jesus e seus discípulos se hospedavam na casa da família, Marta e Maria cuidavam de lhes dar comida, conforto e descanso. Mas, quando Jesus começava a falar, Maria sempre se sentava aos pés dele e deixava a irmã sozinha com os afazeres domésticos. Certa vez, Marta reclamou da irmã e Jesus lhe disse: "Marta, Marta, andas muito inquieta e te preocupas com muitas coisas; no entanto, uma só coisa é necessária." Marta entendeu então que, antes de tudo, vinha a fé. Quando Lázaro ficou doente, mandou chamar Jesus, mas ele demorou a chegar e encontrou o amigo morto havia quatro dias. Pediu ao Pai pela ressurreição de Lázaro, e assim aconteceu. Santa Marta é a padroeira do lar e dos hotéis, das donas de casa, das cozinheiras, das faxineiras e de todos os que recebem e hospedam pessoas. 29 de julho é o dia de Santa Marta.

Ó Santa Marta, santa minha, acolhe-me a tua proteção, pois entrego-me ao teu amparo e, em prova de meu afeto por ti, ofereço a luz da vela que acenderei todas terças-feiras durante esta novena.
Pela felicidade que tiveste em hospedar em tua casa o divino Salvador do mundo, consola-me nas minhas penas. Intercede hoje e sempre por mim e minha família, para que tenhamos o auxílio de Deus Todo-Poderoso nas dificuldades de nossa vida. Suplico-te que tenhas misericórdia infinita para comigo, concedendo-me a graça que hoje peço a ti de todo coração.

(Nesse momento, peça a graça desejada.)

Rogo-te que me faças vencer os obstáculos da vida, como tu venceste o dragão que tens debaixo de vossos pés.

Amém.

Santa Isabel

Isabel nasceu em Saragoça, no Reino de Aragão, e, desde cedo, gostava de rezar e tinha uma bondade simples, uma inteligência promissora e uma tendência natural para apaziguar conflitos. Logo ao seu nascimento, seu pai e seu avô, brigados havia vários anos, voltaram a se falar. Isabel foi alfabetizada, aprendeu a arte de governar e falava várias línguas, inclusive o latim. Por suas grandes qualidades, tinha muitos pretendentes, mas d. Dinis, rei de Portugal, foi o escolhido. Isabel casou-se com ele com apenas doze anos e se tornou mãe de dois filhos. A fé em Deus sempre foi sua grande força. Compadecia-se do pobres e levava-lhes dinheiro e comida, embrulhados em seu avental, às escondidas do marido que a reprovava. Conta-se que, um dia, surpreendida por d. Dinis, disse a ele que carregava apenas flores e, ao abrir o avental, nele só encontraram flores. É a santa da concórdia, da bondade e da paz, e a protetora da família e dos pobres. 4 de julho é o dia de Santa Isabel.

Gloriosa rainha Santa Isabel, venho pedir a tua proteção, a ti que nunca deixaste de atender a todos os que recorriam ao teu bondoso coração.
O amor de Jesus inflamava o teu espírito com um ardente amor cristão, te conduzindo à prática diária da caridade, amparando a todos os que recorriam a ti, Santa Isabel, rainha de Portugal. Cheio de confiança no teu poder e merecimento perante o Altíssimo, eu te peço, digna-te a proteger a mim e à minha família contra as incertezas da existência.

(Nesse momento, peça a graça desejada.)

Peço-te, ó Santa, que estejamos eu e a minha família sempre amparados pela tua proteção e que possamos sempre estar ao abrigo de privações e de dificuldades, e que jamais, com a graça de Deus e com o teu auxílio, nos falte o pão e o alimento à mesa.

Amém.

Santa Luzia

De família nobre e rica, Luzia nasceu em Siracusa na Península Itálica. Seu pai faleceu quando ela ainda era criança e a menina foi educada pela mãe na fé cristã. A mãe de Luzia era muito doente e nenhum médico conseguia curá-la. Por insistência da filha foi em peregrinação até o túmulo de Santa Ágata e colocou a mão nele. A própria Santa Ágata apareceu para Luzia nesse instante e lhe disse: "Luzia, minha irmã, por que me pedes o que tu mesma podes fazer?" Nesse momento, a mãe sentiu as forças voltarem a seu corpo e ficou curada. Luzia tocada pela graça de Deus, fez voto de castidade e fidelidade a Deus, e entregou seu dote de casamento para os pobres. Mas ela estava prometida e seu noivo não se conformou e a denunciou às autoridades por ser cristã. Luzia foi julgada e condenada a viver num prostíbulo, mas dez homens não conseguiram levantá-la do chão. Teve seus olhos arrancados e foi torturada até a morte em praça pública. Santa Luzia se tornou, portanto, a protetora dos olhos. 13 de dezembro é o dia de Santa Luzia.

Ó santa Luzia, tu que não perdeste a fé e a confiança em Deus, mesmo passando pelo grande sofrimento de ter teus olhos vazados e arrancados, ajuda-me a não duvidar da proteção divina, defende-me da cegueira não somente física, mas principalmente da cegueira espiritual.
Atende o meu pedido.

(Nesse momento, peça a graça desejada.)

Conserva a luz dos meus olhos para que eu tenha a coragem de tê-los sempre abertos para a verdade e a justiça, e possa contemplar as maravilhas da criação, o brilho do sol e o sorriso das crianças.
Ó minha querida Santa Luzia, eu te agradeço por teres ouvido a minha súplica.
Por Jesus Cristo, nosso amigo e irmão, na unidade do Espírito Santo.

Santa Luzia, roga por nós.

Amém.

Santa Joana d'Arc

Nascida na França, numa família muito pobre, Joana desde cedo descobriu na religião a sua missão de vida. Ainda menina, começou a ouvir a voz de Deus. A França, nessa época, enfrentava uma longa e sangrenta guerra contra a Inglaterra. O rei havia sido deposto e o país, invadido, e Joana recebeu de Deus a missão de liderar o exército francês para expulsar o invasor e reconduzir o rei ao trono. Com roupas masculinas e uma armadura de aço, montada num cavalo branco e segurando um estandarte com uma cruz e os nomes de Maria e Jesus, ela venceu batalha. Mas depois disso, quando tentava libertar Paris foi capturada pelos ingleses e acusada de heresia. Foi queimada viva numa fogueira, ouvindo a multidão chamá-la de bruxa. Santa Joana d'Arc é a padroeira da França e protetora dos que acreditam em Deus e têm coragem. 30 de maio é o dia de Santa Joana d'Arc.

Ó Santa Joana d'Arc, tu que, cumprindo a vontade de Deus, de espada em punho, te lançaste à luta, por Deus e pela pátria, ajuda-me a perceber, no meu íntimo, as inspirações de Deus. Com o auxílio da tua espada, faze recuar os meus inimigos que atentam contra a minha fé e contra as pessoas mais pobres e desvalidas que habitam nossa pátria.

Santa Joana d'Arc, ajuda-me a vencer as dificuldades no lar, no emprego, no estudo e na vida diária. Ó Santa Joana d'Arc, atende o meu pedido.

(Nesse momento, peça a graça desejada.)

E que nada me obrigue a recuar, quando estou com a razão e a verdade, nem opressões, nem ameaças, nem processos, nem mesmo a fogueira.

Santa Joana d'Arc, ilumina-me, guia-me, fortalece-me, defende-me.

Amém.

São Félix

Félix nasceu em 1515, em Cantalício, na Itália, filho de camponeses pobres, e viveu a infância e juventude trabalhando no campo. Nas horas vagas, rezava e fazia penitência e caridade. Aos 27 anos entrou para o convento dos capuchinhos em Roma como irmão leigo. Depois de fazer seus votos religiosos, frade Félix saía pelas ruas da cidade pregando e esmolando para a igreja e para os pobres, vestindo um hábito velho e já muito puído, sempre com um rosário na mão e um grande saco às costas. Viveu uma vida de profunda simplicidade e bondade. Criou cantigas fáceis para ensinar a palavra de Deus às crianças que se tornaram muito populares. Um dia foi preso pelos soldados romanos. Ordenaram-lhe que renegasse sua fé , mas ele se recusou a fazê-lo, sendo condenado à morte. São Félix é o protetor da alegria e da felicidade e o padroeiro dos que são acusados injustamente. 18 de maio é o dia de São Félix.

Ó São Félix, tu que foste um exemplo de simplicidade evangélica e de inocência de vida, concede que, seguindo os teus passos, eu cuide de amar somente a Cristo e de segui-lo com alegria.

Por Nosso Senhor Jesus Cristo, Vosso Filho, na unidade do Espírito Santo.

Amém!

Santo Amaro

De família nobre, o menino Amaro demonstrou querer a vida religiosa desde a mais tenra idade e por isso seu pai, quando ele tinha doze anos, consentiu em entregá-lo a um mosteiro, aos cuidados de São Bento, que o adotou como filho e lhe transmitiu seus conhecimentos. Um dia, São Bento teve uma visão e viu um outro menino do mosteiro se afogando no regato onde havia ido buscar água. Pediu então a Amaro que corresse até lá para salvá-lo. O discípulo se dedicou de tal forma à tarefa que só percebeu que havia andado sobre as águas quando as pessoas lhe contaram o que havia acontecido. Amaro atribuiu o milagre ao poder de São Bento porque foi humilde e sempre caridoso. Ainda durante sua vida já corriam os rumores de sua santidade. Santo Amaro protege os enfermos, principalmente aqueles que padecem de doenças nos ossos, mas pode ser invocado contra todas as doenças. 15 de janeiro é o dia de Santo Amaro.

Ó Santo Amaro, fiel filho de São bento, servo de Nosso Senhor Jesus Cristo, que pela virtude da obediência andaste sobre a água e não afundaste, que pela fé na cruz de Cristo, e por tua ardente caridade, curaste cegos, aleijados, mudos e todos os que a ti recorriam saíam aliviados de seus fardos.
Hoje, recorro a ti, Santo Amaro, e assim como São Plácido, em apuros, se afogando no lago, peço-te socorro.
Assim como São Plácido, agarra-me pelos cabelos e coloca-me num lugar seguro. Que meus pensamentos, palavras e atos andem sempre pelas margens tranquilas e seguras da vontade e da graça de Deus.
Esteja ao meu lado, Santo Amaro, e com o poder do sinal da cruz afasta de mim todos os males (faça o sinal da cruz) do corpo e da alma, toda inveja ou maus pensamentos, e que todas as armadilhas dos inimigos visíveis e invisíveis sejam destruídas pelo poder do sinal da nossa redenção (faça o sinal da cruz).
Se há alguma enfermidade que ela se acabe pelo poder do sinal de cristo (faça o sinal da cruz), pois por este sinal fizeste milagres outrora, ó Santo Amaro, e, hoje, continuas a fazer a todos que em ti confiam e se valem de tua intercessão.

Pela intercessão de Santo Amaro, livre-nos Deus de todos os males da alma e do corpo.

Amém.

Santa Mônica

Nascida no norte da África, numa família rica e cristã, Mônica, desde menina, era muito religiosa e disciplinada e sempre ajudava os pobres. Casou-se com um jovem da nobreza que era violento, rude e pagão, e com ele teve três filhos, Agostinho, Navigio e Perpétua. Sua filha Perpétua logo abraçou a fé da mãe, mas os meninos resolveram seguir o exemplo do pai, e Agostinho era o mais cético deles. Mônica rezou durante trinta anos seguidos pela conversão dos filhos e do marido. Sua perseverança foi tanta que Agostinho não só se converteu, mas se tornou santo também. Santa Mônica é a padroeira das mães que sabem que, além de educar os filhos para viver em sociedade, também devem desenvolver neles a vida espiritual. 27 de agosto é o dia de Santa Mônica.

Ó Santa Mônica, esposa e mãe exemplar, tu que experimentaste as alegrias e as dificuldades da vida conjugal; tu que conseguiste levar à fé teu esposo Patrício, homem de caráter desregrado e irascível; tu que choraste tanto e oraste dia e noite por teu filho Agostinho e não o abandonaste mesmo quando ele te enganou e fugiu de ti, intercede por nós, ó grande santa, para que saibamos transmitir a fé em nossa família; para que amemos sempre e realizemos a paz.
Ajuda-nos a gerar nossos filhos também à vida da Graça; conforta-nos nos momentos de tristeza e alcança-nos da Santíssima Virgem, Mãe de Jesus e Mãe nossa, a verdadeira paz e a vida feliz.

Santa Mônica, roga por nós.

Amém.

Santa Helena

Helena nasceu numa província do Império Romano e não era cristã. Casou-se com um tribuno militar e com ele teve um filho, Constantino. Logo depois, por ambição política, seu marido a abandonou e se casou com outra mulher. Após a morte do pai, no entanto, Constantino foi aclamado imperador de Roma e logo proibiu as perseguições aos cristãos. Antes de uma batalha, viu uma cruz no céu e os dizeres "Com este sinal vencerás". Imediatamente mandou pintar as bandeiras e estandartes do exército com a cruz e assim derrotou o inimigo. Depois disso, Constantino e Helena se converteram ao cristinianismo. A partir de então, Helena passou a se dedicar fervorosamente a proteger e promover a fé cristã, ajudando os pobres e construindo igrejas. Por intermédio de suas visões descobriu-se o local onde estava a verdadeira cruz em que Jesus foi crucificado. Por isso Santa Helena é a padroeira dos sonhos. 18 de agosto é o dia de Santa Helena.

Ó minha Santa Helena dos gentios, tu viste Cristo a favor do mar, tu fizeste uma cama debaixo de um pé de junco verde e nela te deitaste, e dormiste e sonhaste que teu filho Constantino era imperador em Roma.
Assim, pois, minha nobre santa, como o teu sonho foi verdadeiro, mostra-me em sonho aquilo que desejo ver.

(Nesse momento, pergunte o que deseja saber.)

Se isso for acontecer, mostra-me casa clara, igreja aberta, mesa bem ornada, campo verde e florido, luz acesa, água limpa e corrente ou roupa lavada.
Se não for acontecer, mostra-me casa escura, igreja fechada, mesa desarrumada, campo seco, luz apagada, água turva ou roupa suja.

Amém.

Santo Eusébio

Eusébio nasceu no seio de uma família rica e piedosa e completou seus estudos em Roma. Tornou-se sacerdote e foi destacado para a província de Vercelli, no Piemonte, levando uma vida de orações, penitência, estudo e trabalho. Foi convocado pelo imperador a participar do Concílio de Milão, mas recusou-se a assinar a bula que previa a excomunhão de Santo Atanásio, e por isso foi exilado e preso na Palestina, onde foi torturado física e psicologicamente. Pelo clamor dos católicos, Eusébio foi solto, mas permaneceu no exílio durante seis anos. Antes de voltar à sua paróquia, visitou várias igrejas, animando aqueles que lutavam por sua fé e seus princípios. A firmeza inabalável de Santo Eusébio diante das dificuldades e perseguições nos dá coragem para enfrentar as nossas próprias dificuldades. 2 de agosto é o dia de Santo Eusébio.

Ó Santo Eusébio, concede-me a graça do verdadeiro amor, respeito e fidelidade a Deus e Sua Palavra. Dá-me a consciência de que eu também sou parte da tua Igreja e que eu saiba ser testemunho de vida cristã na constância e na fé.
Santo Eusébio, eu tenho confiança na tua intercessão. Pede por mim junto ao Senhor para que eu consiga a graça de que preciso.

(Nesse momento, peça a graça desejada.)

Que eu consiga antes disso a graça maior da salvação de minha alma.

Tudo para a glória de Deus.

Amém.

São Joaquim

Joaquim, pai de Maria e avô de Jesus, pertencia à casa real de Davi e era parente próximo de José (alguns estudiosos dizem até que eles eram irmãos). Era um homem de posses, mas não tinha filhos, e os sacerdotes do templo o censuravam por isso, mas sua esposa Ana já era idosa e estéril. Um dia, confiando no poder de Deus, Joaquim retirou-se para o deserto para rezar e meditar, e um anjo veio lhe dizer que Deus havia atendido suas preces. Ao voltar para casa descobriu para sua grande alegria que Ana estava grávida. Nove meses depois ela daria à luz uma menina, que recebeu o nome de Miriam, que em hebraico significa "senhora soberana" e que foi traduzido para o latim como Maria. São Joaquim é o padroeiro dos avós junto com Sant'Ana, sua esposa. 26 de julho é o dia de São Joaquim.

Ó grande patriarca São Joaquim, nosso glorioso padroeiro, nós, devotos teus, nos regozijamos com o pensamento de teres sido escolhido entre todos os santos para cooperar nos mistérios divinos e enriquecer o mundo com a bem-aventurada Mãe de Deus e nossa, tua filha Maria Santíssima.
Por esse singular privilégio, és poderosíssimo junto à Mãe e ao Filho de Deus, de sorte que não há graça que não possas alcançar. Recorremos a ti, animados por essa confiança plena, pedindo tua valiosíssima proteção e recomendando-te todas as nossas necessidades espirituais e temporais, bem como as da nossa família.
Nós te pedimos, ó glorioso Santo, a graça de que necessitamos e esperamos obtê-la pela tua paternal intercessão.

(Nesse momento, peça a graça desejada.)

Pedimos particularmente a graça do amor perseverante a Jesus e Maria, a fim de que nós vivamos e morramos na fé, na esperança e na caridade, invocando também o teu bendito nome.

Amém.

Sant'Ana

Descendente de Aarão, Ana casou-se ainda muito jovem com Joaquim, descendente da casa de Davi, e o casal de linhagem nobre vivia em harmonia em Jerusalém, rezando e confiando em Deus. No entanto, eram censurados e humilhados pelos sacerdotes porque não tinham filhos, mesmo após longos anos de casamento. E, naquela época, a mulher era sempre responsabilizada pela esterilidade, por isso Ana sofria muito, mas Joaquim ficava sempre a seu lado. Quando já estava em idade avançada, Ana recebeu a visita de um anjo, que também havia aparecido para seu esposo em peregrinação pelo deserto, dizendo que ela engravidaria em breve. E assim aconteceu: Ana gerou Maria, que seria a escolhida para ser a mãe de Jesus. Sant'Ana é a padroeira dos avós e da educação e também é invocada pelas mulheres que desejam engravidar. 26 de julho é o dia de Sant'Ana.

Senhora Sant'Ana, tu foste chamada por Deus a colaborar na salvação do mundo.
Seguindo os caminhos da Providência Divina, recebeste São Joaquim por esposo e desse matrimônio, vivido em santidade, nasceu Maria Santíssima, que seria a Mãe de Jesus Cristo. Diante de família tão santa, confiantes nós te pedimos pela nossa família. Alcança-nos a todos as graças de Deus: aos pais deste lar, que vivam em harmonia no matrimônio e formem seus filhos para o bem e o amor; aos filhos desta casa, que cresçam em sabedoria, graça e santidade e encontrem a vocação a que Deus os chamou. E a todos nós, pais e filhos, alcança-nos a alegria de viver fielmente em Cristo, guiados sempre pelo Espírito Santo, para que um dia, após as alegrias e sofrimentos desta vida, mereçamos também nós chegar à casa do Pai, onde possamos encontrar a ti.

Amém.

Santa Beatriz

Nascida em Portugal, no seio da família real, Beatriz era surpreendentemente bela e tinha uma imensa devoção à Maria, mãe de Jesus. Quando sua prima, d. Isabel, se casou, Beatriz a acompanhou à corte como dama de companhia. Lá despertou paixões por sua beleza inigualável, mas dedicava a todos um amor fraterno. Beatriz era tão bela, carismática e virtuosa, que a rainha começou a sentir ciúmes e decidiu matá-la, trancando-a num cofre nos subterrâneos do palácio. Quando estava prestes a desfalecer, Beatriz viu uma luz intensa e, dentro dela, Maria, lhe pedindo para fundar uma ordem religiosa. Depois de três dias, a rainha abriu o cofre e encontrou a jovem ainda viva. Beatriz pediu à prima para deixá-la ir para um mosteiro e foi atendida. Cobriu o rosto com um véu e passou 30 anos em silêncio e oração, antes de fundar a nova ordem. Depois de sua morte, descobriram seu rosto e viram que sua beleza tinha permanecido intocada pelo tempo. Santa Beatriz é a santa da decisão, da força de vontade, da paciência e da obediência. 1º de setembro é o dia de Santa Beatriz.

Em nome de Nosso Senhor Jesus Cristo, imploro a ti, ó Santa Beatriz da Silva, que intercedas por mim.
Peço-te que possa eu caminhar sempre seguindo a estrada que o Pai Altíssimo me designou, que eu resista às tentações da vaidade, da luxúria, do orgulho e do poder, e que eu possa compreender o amor universal e fraterno.
Que a minha fé se fortifique sempre, colocando-me em tuas mãos para ter certeza do caminho a seguir.
Que a Virgem Maria Imaculada Conceição me cubra com seu manto, salvando-me dos meus inimigos e clareando as dúvidas que trago na minha mente.
Sei que me escutas e sei que bem sabes da necessidade que apresento. Por isso peço a ti que eu a alcance, se for de meu merecimento.

(Nesse momento, peça a graça desejada.)

Se eu não alcançá-la, compreendo que não era para mim o melhor e que o Pai através de ti me concederá o que é para o meu bem.

Que assim seja.

Amém.

São Cosme e Damião

Cosme e Damião eram gêmeos e filhos de uma família nobre e abastada, e aprenderam com a mãe a fé cristã. Quando cresceram, se formaram em medicina. Eram médicos competentes e dedicados, e também caridosos, procurando ajudar a todos, mas principalmente os mais pobres. Aproveitavam o exercício da medicina para divulgar os ensinamentos de Cristo e muitas vezes nem cobravam pelos seus serviços. Cosme e Damião foram perseguidos e acusados de feitiçaria. No tribunal, exigiram que eles renegassem sua fé, mas os dois irmãos se recusaram a fazer isso e foram condenados à morte por apedrejamento, mas as pedras não os atingiram. O magistrado ordenou então que fossem queimados, mas as chamas não os alcançaram. Por fim, foram decapitados. São Cosme e São Damião são os padroeiros dos médicos e das faculdades de medicina, e por causa da simplicidade e inocência que demonstraram em vida, são também os protetores das crianças. 27 de setembro é o dia de São Cosme e São Damião.

São Cosme e Damião, que por amor a Deus e ao próximo vos dedicastes à cura do corpo e da alma de vossos semelhantes, abençoai os médicos e farmacêuticos, medicai o meu corpo na doença e fortalecei a minha alma contra a superstição e todas as práticas do mal.
Que vossa inocência e simplicidade acompanhem e protejam todas as nossas crianças.
Que a alegria da consciência tranquila, que sempre vos acompanhou, repouse também em meu coração.
Que a vossa proteção conserve meu coração simples e sincero, para que sirvam também para mim as palavras de Jesus: "Deixai vir a mim os pequeninos, porque deles é o Reino do Céu."

São Cosme e Damião, rogai por nós.

Amém.

São Vicente de Paulo

Filho de camponeses muito devotos, Vicente, desde cedo, se mostrou muito inteligente e tinha um dom para a vida religiosa. Foi para a cidade estudar e lá logo se tornou professor. Aos 19 anos foi ordenado sacerdote e pregava tão fervorosamente, que uma mulher viúva e sem filhos que gostava de ouvi-lo deixou para o rapaz toda a sua herança. Vicente foi a Marselha receber o dinheiro para distribuí-lo aos pobres. Na volta, piratas atacaram o navio em que viajava e ele foi preso e vendido como escravo. Um dia, a mulher de seu dono ouviu Vicente cantando e rezando e pediu ao marido para libertá-lo. Vicente voltou à França e recebeu de volta suas credenciais como sacerdote. Todos os dias, andava nas ruas distribuindo esmolas e visitando os doentes nos hospitais. Dizia ver Cristo em cada pessoa, por mais doente e miserável que fosse e por isso foi considerado santo ainda em vida. É o protetor dos pobres e padroeiro de todas as obras de caridade. 27 de setembro é o dia de São Vicente de Paulo.

Glorioso São Vicente, celeste padroeiro de todas as associações de caridade e pai de todos os infelizes que, enquanto viveste sobre a terra, nunca faltaste àqueles que se valeram de tua proteção. Vê a multidão de males que estão nos oprimindo e corre em nosso auxílio.

(Nesse momento, peça a graça desejada.)

Querido São Vicente, alcança do Senhor auxílio para os pobres, socorro para os enfermos, consolação para os aflitos, proteção para os desamparados, conversão para os pecadores, zelo e amor para todos os sacerdotes, paz para aqueles que vivem os ensinamentos de Jesus e tranquilidade para todos os povos e para todos nós a salvação.
Sim, que todos experimentem os efeitos de tua benéfica intercessão e que, socorridos assim por ti nos infortúnios desta vida, possamos nos reunir contigo no Céu, onde não haverá mais tristeza nem lágrimas, nem dor, só a alegria e bem-aventurança eternas.

Amém.

Santa Edwiges

Edwiges nasceu na Baviera, no Império Germânico. Era filha de nobres e recebeu educação esmerada e sólida formação religiosa. Aos doze anos casou-se com um prínicipe polonês e com ele teve seis filhos. Enquanto foi casada cuidou com afinco e amor do bem-estar de seu marido e filhos. Tinha recebido uma herança ao se casar e, com esse dinheiro, ajudava os pobres e endividados. Quando ficou viúva e seus filhos já estavam criados, resolveu entrar para um convento. No entanto, jamais deixou de olhar por aqueles que padeciam de problemas financeiros e patrocinou a construção de várias igrejas e hospitais que geraram sustento para muitas pessoas. Quando Edwiges saudava uma dívida, não libertava apenas um pai da prisão, mas recuperava a honra e a dignidade de toda uma família. Santa Edwiges é a protetora dos pobres e dos endividados e também das famílias. Para ela a riqueza apoiada na fé e nos ensinamentos de Cristo se torna um verdadeiro bem. 16 de outubro é o dia de Santa Edwiges.

Ó Santa Edwiges, tu que na Terra foste o amparo dos pobres, a ajuda dos desvalidos e o socorro dos endividados, e que no Céu agora desfrutas do eterno prêmio da caridade que em vida praticaste, suplicante peço a ti que sejas a minha advogada, para que eu obtenha de Deus o auxílio de que urgentemente preciso.

(Nesse momento, peça a graça desejada.)

Alcança-me também, Santa Edwiges, a suprema graça da salvação eterna.

Santa Edwiges, roga por nós.

Amém.

Santa Margarida Maria

A menina Margarida Maria nasceu na Borgonha, na França, e aos quatro anos começou a fazer votos de pureza em voz alta, sem nem saber o que isso significava. Era filha de um juiz de pequenas posses e, quando seu pai morreu, sua mãe a enviou para um mosteiro. Ali Margarida ficou muito doente e nenhum médico ou remédio conseguia curá-la. A mãe da menina trouxe-a de volta para casa. Margarida, sem conseguir andar, fez uma promessa à Maria de entrar para a vida religiosa se ficasse curada e foi prontamente atendida. Mas, quando completou 17 anos, sua mãe e seus irmãos quiseram que ela se casasse para ajudar a família. Margarida ficou em dúvida se aceitava o casamento ou se mantinha sua promessa. Não demorou muito para que a menina escolhesse seguir o seu destino. A partir de então viveu intensas experiências místicas em que o Sagrado Coração de Jesus revelava a ela os seus mistérios. É a padroeira dos devotos do Sagrado Coração. 17 de outubro é o dia de Santa Margarida Maria.

Ó Santa Margarida Maria, a quem o Sagrado Coração de Jesus, fez participante de seus tesouros divinos, nós suplicamos a ti que nos alcances deste Coração adorável as graças de que temos necessidade. Nós as pedimos com ilimitada confiança.

(Nesse momento, peça a graça desejada.)

Digne-se o Coração Divino nos concedê-las pela tua intercessão, a fim de que Ele seja mais uma vez glorificado e amado por teu meio.

Santa Margarida Maria, roga por nós.

Para que sejamos dignos das promessas de Cristo.

Amém.

São João Evangelista

João era pescador, mas sempre quis trilhar os caminhos de Deus e se tornou discípulo de João Batista, que falava da vinda do Messias. Assim que conheceu Jesus, passou a segui-lo, agora como pescador de homens e não mais de peixes. Os dois se tornaram muito amigos e João acompanhou Jesus quando ele foi preso no Monte das Oliveiras e levado à presença de Caifás. E esteve aos pés da cruz junto com Maria. Em seus últimos momentos, Jesus confiou-a ao amigo João, dizendo: "Mãe, eis aí o teu filho. Filho, eis aí tua mãe." A partir desse momento, João cuidou sempre de Maria. Recebeu o Espírito Santo, foi perseguido, preso e torturado inúmeras vezes, mas jamais renegou sua fé. Exilou-se na ilha de Patmos no Mar Egeu onde escreveu o *Apocalipse*. Voltou a Éfeso e escreveu o *Evangelho segundo João* e três cartas aos cristãos. É padroeiro dos escritores e protetor das amizades. 27 de dezembro é o dia de São João Evangelista.

Ó bem-aventurado evangelista São João, lembro a ti a terna e profunda amizade que por ti sentia Jesus, Nosso Senhor.
Lembro a ti a tua amizade a Jesus, Nosso Senhor, sobre cujo peito inclinaste a cabeça na Santa Ceia.
Peço-te a graça de ter bons e fiéis amigos e de evitar ou afastar os amigos falsos, perjuros e hipócritas, ou de maus hábitos.
Concede-me a graça de preservar sempre a fé em Nosso Senhor Jesus Cristo.
São João Evangelista, sê meu refúgio.
São João Evangelista, protege-me e guia-me.
São João Evangelista, ampara-me.

Amém.

São Pedro

Pedro morava em Cafarnaum e era pescador. Um dia voltou da pesca de mãos vazias e, na praia, deixou que Jesus pregasse do seu barco à multidão que se aglomerava. Depois disso, Jesus disse a ele que voltasse para alto-mar e lançasse de novo as redes. E Pedro assim o fez, e as redes voltaram repletas de peixes. Pedro então largou tudo e também se tornou pescador de homens. Quando Jesus foi preso, Pedro o seguiu de perto até a casa de Caifás, mas três homens o reconheceram e lhe perguntaram se não era discípulo do prisioneiro, e três vezes Pedro negou conhecê-lo. Quando Jesus ressuscitou e apareceu para os apóstolos, perguntou a Pedro três vezes se ele o amava, demostrando que o tinha perdoado pelas negações. Em seguida, fez dele o líder espiritual de todos os cristãos. Pedro foi preso em Roma e condenado à crucificação, mas quis ser crucificado de cabeça para baixo para não se igualar a Jesus. É o padroeiro dos pescadores. 29 de junho é o dia de São Pedro.

Glorioso apóstolo São Pedro, com tuas sete chaves de ferro, abre as portas dos meus caminhos, que se fecharam diante de mim, atrás de mim, à minha direita e à minha esquerda.
Abre para mim os caminhos da felicidade, os caminhos financeiros, os caminhos profissionais, com as tuas sete chaves de ferro e dá-me a graça de poder viver em harmonia e confiando na graça divina.
Glorioso São Pedro, tu que sabes de todos os segredos do Céu e da Terra, ouve a minha oração e atende a prece que dirijo a ti.

(Nesse momento, peça a graça desejada.)

Que assim seja.

Amém.

São Paulo

Paulo ou Saulo de Tarso era fariseu e soldado romano, e um dos mais cruéis perseguidores dos primeiros cristãos, logo após a Ressurreição de Jesus. Durante uma viagem de Jerusalém a Damasco, para destruir a comunidade dos cristãos nesta cidade, viu surgir uma luz muito intensa no céu e se jogou no chão assustado. Ouviu então uma voz lhe perguntando o que ele tinha contra ela. Paulo então perguntou quem era a voz e ouviu a seguinte resposta: "Sou Jesus, a quem persegues." Depois disso, Paulo ficou cego por três dias e se converteu imediatamente. Foi batizado, se tornou o Apostólo Paulo e começou a pregar os ensinamentos de Jesus pelos quatro cantos do mundo. Escreveu várias cartas aos cristãos que estão no Novo Testamento. São Paulo é protetor daqueles que ainda não conhecem a mensagem de Cristo. 25 de janeiro é o dia de São Paulo.

Ó glorioso São Paulo Apóstolo, que de perseguidor dos cristãos te tornaste grande apóstolo, faze que vivamos na fé e nos salvemos pela caridade que praticamos.
Que possamos por tua intercessão conhecer, amar a Deus e assim seguir melhor Jesus Cristo. Suscita muitos santos apóstolos, concede-nos por tua ajuda a graça da conversão diária e de sermos defendidos de toda a cilada do inimigo. Concede-nos especialmente a graça de que tanto precisamos.

(Nesse momento, peça a graça desejada.)

São Paulo Apóstolo, roga por nós.

Amém.

São Lucas

Lucas vivia na cidade de Antioquia, na província romana da Síria. Era médico e conheceu os ensinamentos de Jesus por intermédio dos apóstolos. Foi discípulo de Paulo. É autor de dois livros do Novo Testamento: *Evangelho segundo Lucas* e *Ato dos apóstolos*. Apesar de narrar os acontecimentos da vida de Jesus no seu evangelho, Lucas nunca o conheceu pessoalmente, mas conseguiu contar toda a história porque havia se informado "minuciosamente de tudo", como ele mesmo diz logo no capítulo 1, versículo 3. Já em *Ato dos Apóstolos*, ele fala sobre a descida do Espírito Santo sobre os discípulos de Jesus, os desafios dos primeiros cristãos e as grandes viagens missionárias de Paulo, as quais ele acompanhou. Lucas foi o primeiro a pintar um retrato de Maria, Pedro e Paulo. Por isso, São Lucas é padroeiro dos médicos e também dos pintores e artistas plásticos. 18 de outubro é o dia de São Lucas.

Ó São Lucas, glorioso Apóstolo e evangelista, eu te saúdo pelo Coração de Jesus e pela alegria e doçura que o teu coração sentiu ao narrar o ensinamento do Pai-Nosso aos apóstolos pelo Divino Mestre.
Alcança-me a graça de seguir com fidelidade Jesus, pelo seu caminho, com a sua verdade a favor da vida.
Ó meu bom São Lucas, médico, que com as tuas santas mãos, invocando o nome de Deus, curaste tantos enfermos de tão graves doenças, roga ao bom Jesus que me livre das enfermidades do corpo e do espírito, se isso for do agrado de Deus e para Sua maior glória por toda a eternidade.

Amém.

Santa Cecília

Cecília nasceu em Roma e era de família nobre, filha de um senador do Império. Nessa época, a pregação dos discípulos do apóstolo Paulo fez surgirem os primeiros cristãos. E a menina Cecília fez voto de pureza e de fidelidade a Cristo. Quando chegou à juventude, foi prometida em casamento a um jovem chamado Valeriano. No dia das bodas, Cecília chamou o noivo e disse a ele que não poderia se casar e lhe contou sobre sua fé. Seu relato foi tão forte que Valeriano aceitou o casamento desfeito e também se converteu. Cecília, ao ver o poder que Deus tinha lhe dado, começou a cantar e seu canto era lindo e emocionante, e todos que a ouviam logo se sentiam inclinados a seguir o caminho do amor que Jesus tinha pregado. Cecília foi presa para que renegasse sua fé, mas se recusou a fazer isso. Foi submetida a torturas, resistindo a todas elas para o espanto de seus algozes. É a padroeira da música e dos músicos. 22 de novembro é o dia de Santa Cecília.

Ó virgem e mártir, Santa Cecília, pela fé viva que animou a ti, desde a infância, tornando-te tão agradável a Deus e ao próximo, merecendo a coroa do martírio, convertendo aqueles que desconheciam o amor de Cristo, alcança-nos a graça de progredir cada vez mais na fé e professá-la através do testemunho das boas obras, especialmente servindo aos irmãos necessitados. Gloriosa Santa Cecília, que os teus exemplos de fé e virtude sejam para todos nós um brado de alerta, para que estejamos sempre atentos à vontade de Deus, na prosperidade e nas provações, no caminho do Céu e da salvação eterna.

Santa Cecília, roga por nós.

Amém.

Santa Hildegarda de Bingen

Hildegarda foi uma mulher impressionante, que venceu preconceitos e se tornou uma grande líder espiritual. Nasceu no vilarejo Bermersheim no reino da Alemanha. Foi monja beniditina, teóloga, musicista, médica naturalista, poetisa, escritora e professora. Desde criança tinha saúde frágil e visões místicas. Por isso foi destinada à vida religiosa, indo estudar num mosteiro beneditino. Lá Hildegarda se beneficiou das leituras e da rica vida cultural de que desfrutavam os integrantes masculinos da ordem. Aprendeu latim, retórica sacra e doutrina teológica, e discorria sobre a criação do homem e do universo. Tornou-se professora no mosteiro de Rupertsberg em Bingen sobre o Reno, e ficou famosa também por seu conhecimento da natureza. Usava plantas e pedras em seus remédios e pregava a harmonia entre o corpo e o espírito, entre a natureza, a vontade humana e graça divina. É padroeira da medicina natural e da ecologia. 17 de setembro é o dia de Santa Hildegarda de Bingen.

Ó Santa Hildegarda de Bingen, que teus ensinamentos e teu exemplo de vida nos conduzam a uma vida mais saudável, mais íntegra e, sobretudo, cada vez mais vivida no amor e mais próxima do paraíso que Deus deseja tanto ver na Terra assim como no Céu.
Hoje, diante de ti, venho aqui pedir a tua intercessão, pois sei que és capaz de ajudar-me neste pedido que te rogo agora.

(Nesse momento, peça a graça desejada.)

Obrigado, Santa Hildegarda de Bingen, por sua presença preciosa em minha vida.

Amém.

São Judas Tadeu

Judas e seus irmãos, Tiago e Simão, eram primos de Jesus e também seus apóstolos. Alguns estudiosos dizem que Simão era o noivo nas bodas de Caná, onde Jesus transformou a água em vinho. Ao ver o milagre, Judas começou a segui-lo. Foi o autor de uma única carta aos cristãos, a menor delas, a "Epístola de Judas", em que exortava os cristãos a se manterem no caminho do amor e fiéis a Jesus. Depois de receber o Espírito Santo, começou a pregar na Galileia e, em seguida, foi para Samaria, Síria, Armênia e Mesopotâmia, onde foi assassinado a golpes de machado. Durante muitos anos foi confundido com Judas Iscariotes, que entregou Jesus aos soldados romanos, e seu nome virou sinônimo de "traidor". Séculos mais tarde, Jesus apareceu a Santa Brígida e lhe disse que pedisse a intercessão de São Judas Tadeu, pois ele era capaz de resolver qualquer problema. É o padroeiro das causas perdidas ou muito difícieis de serem resolvidas. 28 de outubro é o dia de São Judas Tadeu.

São Judas Tadeu, glorioso Apóstolo, fiel servo e amigo de Jesus!
O nome de Judas Iscariostes, o traidor de Jesus, foi causa de que foste esquecido por muitos, mas agora nós honramos a ti e te invocamos em todo o mundo como patrono dos casos desesperados e dos negócios sem remédio.
Ó São Judas Tadeu, roga por mim que estou tão desolado.
Eu imploro a ti: faze uso do privilégio que tens de trazer socorro imediato, onde o socorro desapareceu quase por completo.
Assiste-me nessa grande necessidade, para que eu possa receber as consolações e o auxílio do Céu em todas as minhas precisões, tribulações e sofrimentos.
Ó São Judas Tadeu, alcança-me a graça que te peço agora.

(Nesse momento, peça a graça desejada.)

Eu te prometo, ó bendito São Judas Tadeu, me lembrar sempre deste grande favor e nunca deixar de louvar e honrar a ti como meu especial e poderoso patrono e fazer tudo que estiver ao meu alcance para espalhar a tua devoção por toda a parte.

São Judas Tadeu, roga por nós.

Amém.

São Benedito

Benedito nasceu na Sicília e era filho de escravos da Etiópia. Mas o senhor de escravos a quem seus pais pertenciam prometeu libertar-lhes o filho, e assim aconteceu. Benedito foi educado no amor de Cristo pela mãe. Cuidava das ovelhas e rezava o rosário. Um dia, com 20 anos, foi insultado por causa de sua raça e suportou as agressões com mansidão. Mais tarde Benedito foi para o mosteiro dos franciscanos capuchinhos como cozinheiro e transformou a cozinha num santuário de fervor e de oração. Sua alegria e o sabor dos alimentos que preparava conquistavam a todos. Não deixava que nenhum pobre fosse dispensado sem receber comida e algum dinheiro, mesmo quando o próprio mosteiro passava por dificuldades. Era analfabeto, mas teólogos vinham aprender com ele, pois tinha o dom da sabedoria. Fazia muitos milagres e, ainda em vida, sua santidade foi reconhecida. É o padroeiro da cozinha e dos cozinheiros, protetor contra a fome e a falta de alimentos. 5 de outubro é o dia de São Benedito.

Glorioso São Benedito, grande confessor da fé, com toda confiança venho implorar a tua valiosa proteção.
Tu, a quem Deus enriqueceu com os dons celestes, consegue-me a graça que ardentemente desejo, para a maior glória de Deus.

(Nesse momento, peça a graça desejada.)

Conforta o meu coração nos desalentos! Fortifica minha vontade para cumprir bem os meus deveres! Sê o meu companheiro nas horas de solidão e desconforto! Assiste-me e guia-me na vida e na hora da minha morte, para que eu possa bendizer a Deus neste mundo e gozá-lo na eternidade com Jesus Cristo, a quem tanto amaste.

Assim seja.

Amém.

Santa Rosa de Lima

Descendente de conquistadores espanhóis, Rosa nasceu em Lima, no Peru, e recebeu esse nome por causa de sua beleza singular. Seus pais eram ricos, mas perderam tudo, e a menina cresceu na pobreza, trabalhando no campo e costurando para ajudar no sustento da família. Também cultivava rosas e as vendia no mercado, e tocava viola e harpa, cantando com voz doce. Seus pais desejavam casá-la, mas Rosa gostava de rezar e de ficar em silêncio. Contra a vontade dos pais e por amor a Cristo, entrou para a vida religiosa. Era especialmente bondosa com índios, negros e pobres, ajudando-os com comida, remédios e orações. Dizem que fez chover um dia, irrigando as plantações dos pequenos agricultores e evitou a invasão de Lima pelos holandeses. É padroeira do Peru e da América Latina, e a primeira santa das Américas. É protetora das rosas e dos que as cultivam e também dos pequenos agricultores. 23 de agosto é o dia de Santa Rosa de Lima.

Ó Santa Rosa, primeira flor de santidade do Novo Mundo, eu louvo a ti e bendigo o teu nome de todo o meu coração com alegria, tu que edificaste a tua fé com pureza angélica e paciência admirável.
Alcança-me com a tua piedosa intercessão a graça de guardar a virtude da pureza do coração, de viver os desafios da vida, pelo amor de Jesus Cristo e de Maria, com paciência e resignação.
Roga por mim, protetora minha, para que Jesus sempre esteja comigo na vida e na morte e por toda eternidade.

Amém.

Santa Eulália

Eulália nasceu numa família nobre e rica na Península Ibérica, numa região próxima à atual cidade de Barcelona. Foi sempre cuidada com muito carinho e proteção, mas desde pequena demonstrava caráter e força de vontade. Reunia as meninas em sua casa para rezarem juntas e depois saíam fazendo caridade, distribuindo seus bens mais valiosos às crianças pobres da redondeza. Quando a perseguição dos romanos aos cristãos se intensificou, os pais de Eulália a levaram para uma propriedade distante da cidade porque sua fé já era famosa. Mas para a menina aquilo era uma covardia. Fugiu de casa de madrugada e apresentou-se ao juiz enviado pelo imperador para acabar com o cristianismo, dizendo: "Queres cristãos? Eis uma." O juiz ficou admirado da coragem da menina, mas ordenou que ela renegasse sua fé, e Eulália se recusou veementemente e por isso foi chicoteada com crueldade e queimada viva. Santa Eulália é a protetora das crianças e dos adolescentes de gênio forte. 12 de fevereiro é o dia de Santa Eulália.

Deus, nosso Pai, Santa Eulália confessou com a própria vida que há um só Deus. Hoje Vos pedimos humildemente: libertai-nos dos deuses que construímos, segundo a nossa imagem e semelhança. Somente Vós sois digno de todo louvor, de toda honra no Céu e na Terra. Somente Vós, o Senhor da história, Aquele que era, que é e que será. Não deixais, Senhor, que nós nos prostituamos aos ídolos do dinheiro, do poder, do ter sempre mais, mesmo à custa dos valores mais caros e mais nobres da pessoa humana. Que, a exemplo de Santa Eulália, confessemos com a nossa vida de cada dia que não temos outro Deus senão a Vós, e que em Vós depositamos toda a nossa confiança.

Amém.

São Mateus

Mateus era coletor de impostos e um homem rico em Cafarnaum. Estava no trabalho quando Jesus apareceu e disse a ele que o seguisse, e Mateus assim o fez, tornando-se um dos doze discípulos. Foi autor do *Evangelho segundo Mateus*, o primeiro evangelho, em que apresenta Jesus como aquele que veio realizar a justiça. Depois da descida do Espírito Santo sobre os apóstolos, pregou pela Judeia, Etiópia e Pérsia. Foi apedrejado, queimado e decapitado. Em suas palavras, Mateus nos revelou a promessa de que Jesus estará sempre ao nosso lado: "Eis que eu estarei com vocês todos os dias, até o fim do mundo." São Mateus é o padroeiro dos contadores, dos auditores, dos banqueiros, de todos os profissionais que lidam com dinheiro e por isso geralmente se pede a sua intercessão para organizar e equilibrar a vida financeira. 16 de novembro é o dia de São Mateus.

São Mateus, que deixaste a riqueza para seguir com entusiasmo o chamado da fé, fazendo da pobreza um hino de louvor a Jesus, intercede por mim, que me encontro em aflição.
Tu, que ouviste do Mestre as palavras "Não ajunteis para vós os tesouros da terra, onde a traça e o caruncho os destroem, e onde os ladrões arrombam e roubam, mas ajuntai para vós os tesouros do Céu", ensina-me, ó São Mateus, o verdadeiro valor das coisas terrenas. Protege o que é meu e da minha família da ganância e do alcance alheio, para que as minhas posses não lhes causem cobiça nem ensejem atos ilícitos desvairados.
Ensina-me, por fim, a juntar tesouros no Céu e a servir a Deus e não ao dinheiro.

Amém.

São Tiago

Tiago era filho de Zebedeu e Salomé e irmão de João, o evangelista, e como seu irmão, pescador também. Era conhecido como o "filho do trovão", por causa de seu temperamento raivoso. Tornou-se discípulo de Jesus e, uma vez, pediu a ele que lançasse sobre os samaritanos o fogo do Céu, mas Jesus lhe respondeu: "Não vim para destruir as almas dos homens, mas para salvá-las." Depois da vinda do Espírito Santo, Tiago foi para a Pensínsula Ibérica pregar. Quando voltou a Jerusalém, foi aclamado líder dos cristãos. São Tiago também é conhecido como Tiago Maior e Santiago de Compostela. É o padroeiro da Espanha, dos cavaleiros e dos peregrinos. Durante a Idade Média, a Igreja Católica concedia indulgência a todos que fizessem a peregrinação à catedral de Santiago de Compostela. Desde essa época, milhares de fiéis e peregrinos fazem a pé esse caminho que foi se estendendo e hoje tem quase 800 quilômetros. 25 de julho é o dia de São Tiago.

Ó Apóstolo São Tiago, escolhido entre os doze, tu que foste o primeiro a beber no cálice do Senhor e és o grande protetor dos peregrinos, intercede a Deus por mim, faze-me forte na fé e alegre na esperança.
Nos caminhos de minha vida, socorre-me sem demora.
E, em meu caminhar de peregrino, seguindo o caminho da vida de Cristo, fortalece-me e alenta-me para que finalmente eu possa alcançar a glória de Deus Pai.

São Tiago, roga por nós!

Amém.

São Tomé

Tomé era judeu da Galileia e também foi escolhido por Jesus como um dos seus discípulos. Demonstrava um temperamento cético e pessimista, sempre cheio de dúvidas e imaginando o pior. Quando Jesus ressuscitou e os apóstolos vieram lhe contar a boa-nova,Tomé não acreditou e precisou ver a marca dos cravos nas mãos dele e a ferida em seu lado e tocar nelas. Após a vinda do Espírito Santo, Tomé saiu pelo mundo pregando os ensinamentos de Cristo, chegando até a Índia, onde acabou martirizado. Tomé fincou um tronco perto de uma praia na cidade de Madras, hoje Chennai, na costa leste da Índia, onde viviam alguns cristãos e disse-lhes que as águas do mar dali nunca passariam. Nesse local, séculos depois, foi construída a Basílica de São Tomé. Em 2004 um tsunami atingiu Chennai, mas a basílica nada sofreu. É padroeiro dos arquitetos, dos construtores e dos pedreiros porque, nessas profissões, não pode haver dúvida quanto aos cálculos. 3 de julho é o dia de São Tomé.

Ó glorioso Apóstolo São Tomé, que, depois de haveres duvidado da Ressurreição de Nosso Senhor Jesus Cristo, obtiveste a graça de tocar com as tuas mãos as chagas sagradas e ouviste "Bem-aventurados os que não viram e creram", eu peço a ti, humildemente, a graça de conseguires da misericórdia do Senhor luzes para meu espírito.
Desejo e peço a ti, São Tomé, o auxílio de que necessito neste momento.

(Nesse momento, peça a graça desejada.)

Protege-me e inspira-me, São Tomé, apóstolo mártir, pelo sangue de Nosso Senhor Jesus Cristo.

Que assim seja.

Amém.

São Francisco Xavier

Francisco nasceu no reino de Navarra na Península Ibérica, filho de uma família de nobres que lutou contra a invasão dos aragoneses e castelhanos. Após a morte do pai, Francisco foi para Paris se preparar para a universidade. Estudou literatura e filosofia, e aprendeu francês, italiano e alemão, se tornando professor. Lá conheceu Inácio de Loyola e participou da fundação da ordem dos jesuítas. Francisco e Inácio desejavam sair pelo mundo, levando os ensinamentos de Cristo, e se colocaram à disposição do papa para irem aonde fosse mais necessário. Depois de ordenado sacerdote, Francisco foi para o sul da Índia, para a Indonésia e para o Japão. Morreu a caminho da China, segurando o crucifixo que seu amigo Inácio lhe dera. É o padroeiro das missões. 3 de dezembro é o dia de São Francisco Xavier.

Amabilíssimo santo, cheio de caridade e zelo, contigo adoro reverentemente a Divina Majestade e me regozijo dos especialíssimos dons com que graça te favoreceu durante a vida e da glória de que gozas agora.
Rendo a ti carinhosa homenagem e peço-te do fundo de minha alma que, por tua poderosa intercessão, eu consiga viver e morrer santamente.
E suplico a ti também pela graça de que necessito.

(Nesse momento, peça a graça desejada.)

E se o que peço não convier à glória de Deus e ao proveito de minha alma, quero alcançar aquilo que a uma e outra seja mais conforme.

Assim seja.

Amém.

São Roque

O menino Roque nasceu com a marca de uma cruz avermelhada no peito. Era de família nobre, mas seus pais morreram quando ainda era adolescente, lhe deixando uma fortuna. Ao completar 20 anos, saiu de casa sem nada e foi mendigando pelas estradas. Passou por várias cidades assoladas pela peste e ajudou os doentes nos hospitais, curando inúmeros deles com apenas um bisturi e o sinal da cruz. Depois, voltando para casa, percebeu que tinha contraído a peste e se refugiou na floresta para não contaminar ninguém. Lá teria morrido de fome e sede se um cão não tivesse lhe trazido pão diariamente e se da terra não tivesse brotado água pura. Ficou curado e seguiu viagem. Em sua cidade natal, foi confundido com um espião e preso. Algum tempo depois, Roque foi encontrado morto em sua cela. Ao tirarem suas roupas para enterrá-lo, viram a cruz avermelhada em seu peito e o reconheceram. É protetor contra doenças e pragas, e padroeiro dos cirurgiões e do gado. 16 de agosto é o dia de São Roque.

São Roque, que te dedicaste com todo o amor aos doentes contagiados pela peste, embora também a tenhas contraído, dá-nos paciência no sofrimento e na dor.
São Roque, protege não só a mim, mas também aos meus irmãos e irmãs, livrando-nos das doenças infecciosas. Por isso, hoje, rezo especialmente por uma pessoa muito querida para que fique livre do seu mal.

(Nesse momento, diga o nome da pessoa.)

Enquanto eu estiver em condições de me dedicar aos meus irmãos, proponho-me a ajudá-los em suas reais necessidades, aliviando-lhes um pouco o sofrimento.
São Roque, abençoa os médicos, fortalece os enfermeiros e atendentes dos hospitais e defende a todos das doenças e dos perigos.

Amém.

Santa Efigênia

Era filha dos reis da Etiópia e seu nome significa "a que nasceu forte". Um dia, ouviu a pregação do apóstolo Mateus e sentiu o amor de Cristo em seu coração. Sacerdotes locais convenceram o rei de que, por isso, os deuses estavam com raiva e que Efigênia deveria ser sacrificada. O rei, desconsolado, consentiu. Prestes a ser queimada viva, Efigênia chamou o nome de Jesus e um anjo veio do Céu e a salvou. Depois ouviu uma voz lhe dizendo para formar um exército de noviças e construiu uma casa para abrigá-las. Após a morte do rei, Eufrônio, irmão de Efigênia, deveria assumir o poder, mas Hírtaco, seu tio, roubou-lhe o trono e tentou convencer Efigênia a casar-se com ele, mas ela se recusou. Hírtaco mandou atear fogo na casa de Efigênia, mas as chamas se apagaram e se acenderam no palácio. Hírtaco fugiu e Eufrônio foi proclamado rei. Santa Efigênia é a protetora contra os incêndios e padroeira dos militares e daqueles que desejam uma casa própria. 21 de setembro é o dia de Santa Efigênia.

Boníssima e abençoada Santa Efigênia, que tuas bênçãos sejam direcionadas a nós com tanta força e nos alertem de todos os perigos que possam nos rodear.
Evita, querida santa, toda e qualquer maldade que alguém queira fazer às nossas famílias, aos lares, que com certeza nos deste ou nos dará, e aos nossos corações.
Impede, bondosa santa, que tenhamos vontade de revidar os desaforos e as crueldades, afastando ainda mais a paz que tanto buscamos.
Confiamos em ti, Santa Efigênia, e sabemos ocupar desde já um lugar especial em teus pensamentos.

Amém.

Santa Inês

Inês nasceu em Roma e foi educada na fé cristã. Tinha personalidade forte e decidiu consagrar-se a Deus. Aos treze anos, por conta de sua beleza, despertou inúmeras paixões, mas resistiu às investidas dos jovens ricos e poderosos. Dentre eles estava Fúlvio, filho do prefeito de Roma, que a denunciou por sua fé e a levou a julgamento. Foi condenada a manter acesa a chama do templo dedicado à deusa do lar, mas Inês se recusou a fazer isso, dizendo: "Como pensas que eu aceite prestar honras a uma estátua que nada significa para mim? Sou jovem, é verdade, mas a fé não se mede pelos anos e sim pelos sentimentos." Depois foi exposta nua num prostíbulo, mas seus cabelos cresceram e cobriram seu corpo, e uma luz intensa impediu que os homens a vissem. Foi então condenada à fogueira, mas as chamas não a atingiram. Depois de sua morte, apareceu a seus pais com um lírio na mão. É a protetora da pureza e padroeira dos jardineiros. 21 de janeiro é o dia de Santa Inês.

Bendita sejas, Santa Inês.
Invoco tua intercessão no dia em que o Céu festeja teu aniversário e a Terra, tua morte admirável, teu sacrifício místico e teu casamento com Cristo.
Admiro tua força, ó Santa Inês, que ainda quase criança te entregaste a Jesus como teu único amor e lutaste para manter tua fé. Admiro teu espírito que nada temeu por amor a Deus. Admiro tua constância em meio aos suplícios que padeceste, e louvo a força grandiosa do Espírito Santo que encheu teu coração.
Ó Santa Inês, eu te admiro pois quero aprender contigo a nada temer. Que eu viva o desapego das coisas carnais e materiais como viveste. Que eu viva este mundo como uma passagem. Que eu não me apegue aos desejos e paixões da Terra que só prejudicam a alma. Que, nas batalhas da vida, eu tudo possa enfrentar com um sorriso nos lábios que venha do fundo do meu coração pela consciência de que a minha vida pertence só a Deus. Que eu nada tema, que nada me faça chorar, que sofrimento algum me angustie, pois na vida tudo passa.
Santa Inês, esteja ao meu lado, seja minha amiga, meu anjo da guarda, vela meus passos, me instrui na sabedoria, ensina-me a pureza, limpa meus olhos, ensina-me a ver sempre o lado bom da vida, a nunca falar mal das coisas que Deus me dá, nem das pessoas.

Santa Inês, roga por nós.

Amém.

São Miguel Arcanjo

Os arcanjos Miguel, Gabriel e Rafael fazem parte da mais alta hierarquia celestial. Eles estão entre os sete seres espirituais que atendem diretamente ao trono de Deus, segundo o livro do *Apocalipse*. O nome Miguel significa "à semelhança de Deus". Ele é o guardião celeste, o príncipe guerreiro, defensor e protetor do povo de Deus. É o arcanjo da justiça e do arrependimento, e o grande combatente e vencedor das forças do mal. São Miguel é invocado para a proteção e para saber que caminho devemos seguir. 29 de setembro é o dia de São Miguel Arcanjo.

São Miguel Arcanjo, protege-nos no combate, defende-nos com o teu escudo!
Ó príncipe celeste, pelo Divino poder, afasta de mim tudo o que não me faz bem.
São Miguel em cima, São Miguel em baixo,
São Miguel à esquerda, São Miguel à direita,
São Miguel à frente,São Miguel atrás.
São Miguel, São Miguel, São Miguel.

Aonde quer que eu vá, eu sou o teu amor, que me protege aqui e agora.

Amém.

São Gabriel Arcanjo

O nome Gabriel vem do hebraico e significa "homem de Deus". Gabriel tem como missão principal ser o anunciador das revelações de Deus. Foi ele que anunciou os nascimentos de João Batista e de Jesus, que apareceu a José para lhe dizer que a gravidez de Maria era obra do Espírito Santo, que levou os pastores a Belém, que avisou os reis magos para não contarem a Herodes que haviam visto o menino, que disse a José para fugir com Maria e Jesus para o Egito e depois voltarem os três para Nazaré. Foi ele também que consolou Jesus no Monte das Oliveiras e avisou às mulheres que ele havia ressuscitado. São Gabriel Arcanjo é invocado para se conhecer os desígnios divinos. 29 de setembro é o dia de São Gabriel Arcanjo.

Portador das boas-novas, das mudanças, da sabedoria e da inteligência.
Arcanjo da Anunciação, traze todos os dias mensagens boas e otimistas.
E faze com que eu também seja um mensageiro, proferindo somente palavras e atos de bondade e positivismo.
Concede-me alcançar os meus objetivos e entender a missão que Deus me confiou.

Glorioso São Gabriel, roga por nós!

Amém.

São Rafael Arcanjo

O nome Rafael é a junção de duas palavras em hebraico: "rafa" que significa cura e "el" que significa Deus. Rafael é, portanto, a "cura de Deus" ou "o curador divino". Ele é o arcanjo da Providência, que vela por toda da humanidade, curando os males físicos e espirituais. No Antigo Testamento, Rafael se fez homem e acompanhou o jovem Tobias numa longa e perigosa jornada. São Rafael Arcanjo é protetor dos sacerdotes e dos médicos e também dos viajantes e dos peregrinos, ou seja, de todos nós que estamos na nossa grande viagem a caminho de Deus. 29 de setembro é o dia de São Rafael Arcanjo.

São Rafael, arcanjo da luz curadora de Deus, canal aberto para que a vida abundante do Céu possa fluir sobre nós, companheiro de nossa peregrinação até a casa do Pai, vencedor das hostes malignas da morte, anjo da vida: eis-me aqui necessitado como Tobias de tua proteção e luz.
Peço-te que me acompanhes em minha jornada, livrando-me do mal e dos perigos, dando saúde de corpo, mente e espírito a mim e a todos os meus.
Especialmente eu te peço hoje esta graça.

(Nesse momento, peça a graça desejada.)

E já te agradeço pela amorosa intercessão e por estares sempre ao meu lado.

Amém.

Em www.leya.com.br você tem acesso a novidades e conteúdo exclusivo. Visite o site e faça seu cadastro!

A LeYa também está presente em:

facebook.com/leyabrasil

@leyabrasil

instagram.com/editoraleya

1a. edição	Setembro de 2019
papel de miolo	Polén soft 70g/m2
tipografia	Parma petit e Paramond regular
gráfica	Lis Gráfica